HILF DIR SELBST

Dr. med. Wilfried Feichtinger / Christa Kurt

FRAUENSACHE

WIEN · STUTTGART · BERN

Die Autoren:

Dr. med. Wilfried Feichtinger promovierte 1975 zum Doktor der Medizin, spezialisierte sich auf Frauenheilkunde und ist heute ein international bekannter Fachmann für künstliche Befruchtung. Neben seiner Tätigkeit in Wissenschaft und Lehre (in Wien und New York) führt er in Wien eine gynäkologische Praxis. Er ist für naturnahe Behandlungsmethoden von Frauenkrankheiten sehr aufgeschlossen und legt auf die Berücksichtigung der psychischen Komponente bei gynäkologischen Problemen großen Wert.

Christa Kurt, freie Journalistin, war mehrere Jahre lang Redakteurin in der Konsumentenredaktion des ORF; sie gestaltete zahlreiche Sendungen u. a. zum Thema „Frauen" und „Kinder". Seit 1987 gibt es beim ORF die von ihr initiierte und betreute Ombudsstelle für Kinder „Rat auf Draht — das ORF-Kinderservice".

Grafiken, sofern nicht anders angegeben: Raimar Johannes Kemeter

ISBN 3-7015-0183-1

Einbandgestaltung: Bronislaw Zelek
Grafische Gestaltung: Alfred Hoffmann
Lektorat: Barbara Köszegi
Satz, Druck und Bindearbeiten: Druckerei Robitschek & Co., Wien

Inhalt

Einleitung

Die Ausbildung zum Facharzt für Geburtshilfe und Gynäkologie ist bis heute fast ausschließlich auf die rein körperlichen Funktionen der Frau ausgerichtet, bzw. bei Schwangerschaft und Geburt auf die klinische Überwachung orientiert. Die Schulung im ärztlichen Gespräch mit ambulanten oder stationären Patientinnen ist für die in Ausbildung stehenden Ärztinnen und Ärzte kaum vorgesehen. Das Trainieren psychologischen Einfühlungsvermögens und das Erlernen psychosomatischer Zusammenhänge sind ausschließlich der Eigeninitiative bzw. dem Privatinteresse des angehenden Arztes überlassen. Die Notwendigkeit psychologischer Fähigkeiten im Umgang mit der Patientin wird also entweder als unwesentlich angesehen oder unterschätzt. Zugleich gibt es in der Fachausbildung eine enorme Überbewertung der operativen Gynäkologie. Dies schon deswegen, weil die Gynäkologie als chirurgisches Fach dargestellt wird: Es gelten jene als besonders gute Gynäkologen, die eine möglichst lange Operationsliste sowie den Ruf, ein möglichst guter Operateur zu sein, nachweisen können. Dies wird vor allem bei der Bewerbung und Besetzung von Primariats-(Chefarzt-) Stellen sichtbar und natürlich auch bei der Besetzung entsprechender Universitätskliniken. Die möglichst große Anzahl durchgeführter Radikaloperationen, Gebärmutterentfernungen und anderer Eingriffe ist oft wichtiger als die Prüfung der menschenführenden und Management-Qualitäten des Bewerbers. Alle angehenden Gynäkologen und Gynäkologinnen haben daher die Möglichkeit einer umfassenden Ausbildung und Spezialisierung im Operieren. Nur wenige spezialisieren sich hingegen auf konservative Behandlungsmöglichkeiten und die Psychosomatik.
Zudem ist es oft viel einfacher und profitabler für den Gynäkologen zu operieren, als sich mit zeitraubenden und Einfühlungsvermögen fordernden alternativen Möglichkeiten auseinanderzusetzen und mit der Patientin auch über ihre Gefühle und Empfindungen Gespräche zu führen. Zusätzlich „krankt" es auch am Krankenkassensystem, denn es wird meist jede Operation, ein Gespräch jedoch meist nicht von den Kassen bezahlt.
Andererseits muß natürlich auch betont werden, daß bei allen bösartigen und bei manchen anderen Erkrankungen die sachgemäße und gut durchgeführte Operation segensreich und oft lebensrettend für die Patientin ist.

Darauf soll auch im vorliegenden Buch eingehend hingewiesen werden. Es soll jedoch den Betroffenen, nämlich den Frauen, vor allem ein kritischer Leitfaden sein, der sie darüber informiert, wann und in welchen Situationen eine gynäkologische Operation vermeidbar ist und welche alternativen Behandlungsmethoden es auch im Bereich der übrigen Frauenheilkunde gibt.

„Die nächste, bitte"
Der Besuch beim Frauenarzt

„Mein erster Besuch beim Frauenarzt war entsetzlich. Ich mußte mich splitternackt ausziehen und mußte dann eine halbe Stunde vor seinem Schreibtisch auf ihn warten", erzählt eine 40jährige Frau.
Diese peinlichen Minuten sind für viele Frauen ein Alptraum. Daß sich in der Zwischenzeit nicht sehr viel geändert hat (diese 40jährige Frau war mit 18 beim ersten Routinebesuch), ergab eine vor kurzem durchgeführte Recherche von Zeitungsjournalistinnen. Sie suchten 10 Frauenärzte (es war auch eine Ärztin dabei) auf.
Das Ergebnis: Nur einer der 10 Ärzte war einfühlsam und nahm sich für seine Patientin Zeit. Bei den anderen war rekordverdächtige Abfertigung in einigen Minuten angesagt. Halbnackt warten, eine Ruckzuck-Untersuchung am gynäkologischen Stuhl, schnell noch ein Ärztemuster eines neuen Pillenpräparates, und schon hieß es: „Die nächste, bitte!"
Ein Alptraum, der zwar schnell vorübergeht, der aber trotz allem höchst unangenehme Begleiterscheinungen hat.

Frauen über ihre Gefühle bei einer gynäkologischen Untersuchung

„Ich fühle mich so ausgeliefert!"
„Ich habe das Gefühl, daß mein Innerstes nach außen gestülpt wird."
„Ich habe Angst vor den Instrumenten."
„Ich fühle mich wie ein Stück Fleisch."
Das sind nur einige Empfindungen, die Frauen beim Frauenarzt haben.

Viele Ärzte machen es den Frauen nicht leicht. Sie erklären nichts, hantieren mit bedrohlich aussehenden Instrumenten, während die Frau auf dem gynäkologischen Stuhl, mit gespreizten Beinen, die Untersuchung über sich ergehen lassen muß.

Die Geschlechtsorgane sind ja nicht irgend ein Körperteil. Sie sind eine empfindsame Zone, die eng mit Gefühlen, mit Intimität, mit Frausein zu tun hat. Ein guter Arzt, eine gute Ärztin weiß, wie schwer es einer Frau fallen muß, ihre intimsten Körperteile so einer medizinisch sachlichen Beurteilung zu unterwerfen, und wird dementsprechend einfühlsam agieren.

Ein mutiger junger Arzt schlug auf einem Ärztekongreß folgendes vor: Um zu verstehen, was Frauen bei einer gynäkologischen Untersuchung solches Unbehagen bereitet, sollten sich die Ärzte selbst einmal nackt ausziehen und auf diesen gynäkologischen Stuhl setzen. Dann würden sie die Frauen besser verstehen.

Die Untersuchung beim Gynäkologen

Eine Frau sollte ihren Frauenarzt bzw. ihre Frauenärztin bei Beschwerden und ansonsten mindestens 1 x pro Jahr aufsuchen. Ältere Frauen halbjährlich.
Diese Routineuntersuchung dient vor allem der Krebsvorsorge.
Durch die Abstriche läßt sich Gebärmutterhalskrebs früh erkennen. Eine bakteriologische Untersuchung des Scheidensekrets hilft, chronische Infektionen der Scheidenflora zu entdekken. Mit der Brustuntersuchung, die ebenfalls gemacht werden sollte, können Knötchen und Verdickungen rechtzeitig festgestellt werden.

Was geschieht bei einer Routineuntersuchung, bzw. was sollte geschehen?

Schon vor der Untersuchung kann die Frau dem Arzt bzw. der Ärztin erklären, warum sie gekommen ist. Daten wie der letzte Regeltermin werden aufgenommen, das Problem, das die Frau beschäftigt, wird theoretisch besprochen.
Danach wird die Untersuchung angekündigt.
Die Frau zieht ihre Unterhose aus und setzt sich auf den gynäkologischen Stuhl. Es ist nicht notwendig, sich splitternackt auszuziehen!

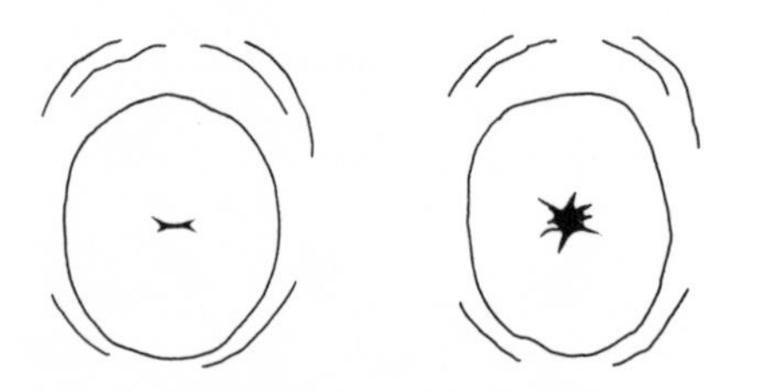

Der Muttermund: bei einer Frau, die noch nicht geboren hat (links); bei einer Frau, die schon geboren hat (rechts)

■ Die Spekulumuntersuchung

Die erste Untersuchung ist meist jene mit dem Spekulum.
Das Spekulum (wenn es aus Metall ist, sollte es vorher angewärmt werden) wird vom Arzt bzw. der Ärztin in die Scheide eingeführt. Damit wird die Scheide gespreizt und der Muttermund so eingestellt, daß er gut sichtbar ist.
So kann festgestellt werden, ob ungewöhnlich viel Ausfluß vorhanden ist, ob Scheidenwände oder Muttermund entzündet sind und ob Verfärbungen, Anzeichen einer Verletzung oder andere Auffälligkeiten zu sehen sind.

Während der Untersuchung erklärt der Arzt oder die Ärztin der Frau, was er (sie) tut und warum es nötig ist. Mit einem Handspiegel kann die Frau die Untersuchung auch selbst verfolgen. Die meisten Frauen wissen nicht, wie sie innen ausschauen. Einmal den Muttermund zu sehen, kann sehr beglückend sein.

■ Krebsabstrich

Mit Hilfe eines Spatels (aus Holz oder Kunststoff) oder eines Wattestäbchens werden die Zellen, zunächst der Muttermundoberfläche, dann des Muttermundkanals abgestreift. Das tut nicht weh! Dann werden die Zellen auf ein Glas (Objektträger) aufgetragen. Die-

che Ursachen von psychosomatisch bedingten Regelstörungen, Sterilitätsproblemen und anderen nicht organisch bedingten Krankheiten gefunden werden. Solche Gespräche brauchen Zeit und auch einen psychotherapeutisch oder zumindest psychologisch ausgebildeten Gynäkologen.
Eine Schulung in therapeutischer Gesprächsführung ist im Medizinstudium nicht vorgesehen. Es hängt also vom Interesse und Engagement jedes einzelnen ab.

Nicht zuviel reden, lieber handeln!
ist die Devise von vielen Gynäkologen. Sie operieren zu häufig und zu radikal!
Mit ein Grund mag sein, daß gynäkologische Operationen an und für sich nicht so spektakulär und aufwendig sind, wie zum Beispiel Unfall-, Bauch- und herzchirurgische Eingriffe, und daher die Gynäkologen um Anerkennung von der Kollegenschaft heischen (meint ein Insider), zum Beispiel mit der Anzahl der schon gemachten Hysterektomien (Gebärmutterentfernungen). Auch sind durchgeführte Operationen Kriterien für Primariatsbesetzungen beziehungsweise für gute Spitalspositionen.

Daher:
Vor Eingriffen oder massiven Behandlungen sollte jede Frau unbedingt eine zusätzliche Diagnose von einem anderen Arzt oder einer anderen Ärztin einholen. Das ist kein Mißtrauen gegenüber dem eigenen Gynäkologen. Ein verantwortungsbewußter Arzt wird sogar den Vorschlag machen, einen anderen Fachmann bzw. eine Fachfrau zu Rate zu ziehen. In der Schweiz haben sich alle Gynäkologen freiwillig einer Regelung unterworfen, die diese sogenannte „second opinion" bei Eingriffen wie einer Hysterektomie zwingend vorschreibt.
In der Bundesrepublik und in Österreich liegt es an den Frauen, initiativ zu werden.

Was eine Frau über die weiblichen Geschlechtsorgane wissen sollte

Je besser eine Frau über die Funktion ihrer Organe Bescheid weiß, desto leichter wird sie lernen, ihren Körper zu verstehen. Mit einem positiven Körpergefühl gewinnt eine Frau auch an Selbstvertrauen.
Viele Frauen verwirren und verunsichern die vielen lateinischen Ausdrücke, die in der Frauenarztpraxis fallen. Wenn eine Frau aber Bescheid weiß — ein Medizinstudium ist dazu nicht nötig — ist sie dem Arzt eine mündige Gesprächspartnerin und kann besser über ihre Anliegen sprechen.

Die äußeren Geschlechtsorgane

Ein deutliches Zeichen für die Geschlechtsreife einer Frau ist die Behaarung des Venushügels (Mons pubis, Mons veneris). Der Venushügel liegt über der Symphyse, dem Schambein. Man kann durch die Haut die Knochen der Symphyse spüren. Die Behaarung geht bis zum Anus (Afteröffnung). Behaart sind auch die großen Labien (Schamlippen), die die kleinen Schamlippen, die weich und nicht behaart sind, umgeben. Sie sind sehr berührungsempfindlich und schwellen bei sexueller Stimulierung an. Unter den kleinen Schamlippen ist der Scheideneingang (Introitus) und direkt unterhalb des Venushügels die Klitoris, die von einer Haut bedeckt ist. Die Klitoris besteht aus Schwellkörpern. Bei sexueller Erregung füllen sie sich mit Blut und werden groß und fest.
Auf beiden Seiten der Scheidenöffnung sitzen die Bartholinischen Drüsen. Sie sondern bei Erregung Schleim ab, der die Einführung des Penis erleichtern soll. Die Bartholinischen Drüsen sind erbsengroß und nur dann zu spüren, wenn sie entzündet sind (siehe Entzündungen, Seite 48).

Die äußeren Geschlechtsorgane

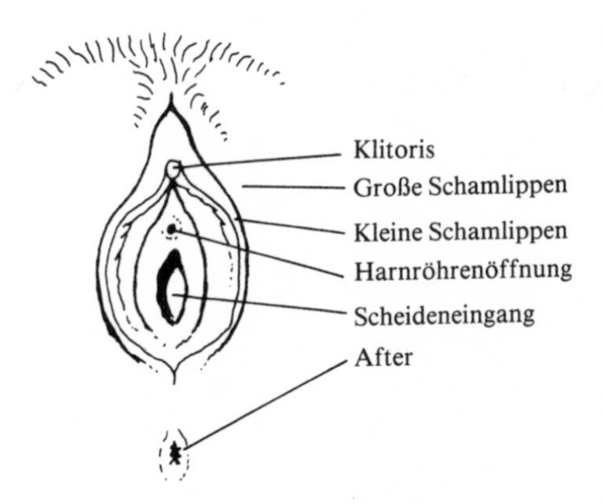

Wenn die Frau noch keinen Geschlechtsverkehr gehabt hat, kann manchmal um die Scheidenöffnung herum ein Ring — oder eine halbmondförmige Hautfalte — zu sehen bzw. zu spüren sein, das Hymen oder Jungfernhäutchen. Das Hymen umgibt den Scheideneingang, verschließt ihn aber nicht.

Die inneren Geschlechtsorgane

Die Eierstöcke (Ovarien) haben zwei Funktionen. Zum einen reifen in ihnen die weiblichen Keimzellen heran, zum anderen spielen sie eine Rolle bei der Bildung der weiblichen Geschlechtshormone (Östrogene und Gestagene).
Die paarig angelegten Ovarien erreichen bei einer erwachsenen Frau etwa die Größe von drei Zentimetern im Durchmesser. Sie sind mandelförmig und liegen rechts und links der Gebärmutter (Uterus), mit der sie durch die Eileiter (Tuben) verbunden sind. Das äußere, ampullenförmige Drittel des Eileiters ist höchstwahrscheinlich jener Ort, wo die Verschmelzung von weiblicher Ei- und männlicher Samenzelle stattfindet. Die Eileiter sind etwa bleistiftdick, haben eine Länge von acht bis zehn Zentimetern und dienen dem Transport der befruchteten Eizelle vom Eierstock in den Gebärmutterinnenraum. Dies geschieht mit Hilfe winziger Flimmerhaare, die die zarte Schleimhaut der Eileiter auskleiden, sowie durch ein ständiges Zusammenziehen der Eileitermuskeln. Die Wanderung der Eizelle durch den Eileiter dauert etwa drei bis vier Tage. Entzündungen im Beckenraum sowie Geschlechtskrankheiten können zu Verwachsungen, Vernarbungen oder Verklebungen der Eileiter führen (siehe auch Eileiterschwangerschaft, Seite 105 und unerfüllter Kinderwunsch, Seite 101 f.).

Die inneren Geschlechtsorgane (von der Seite betrachtet)

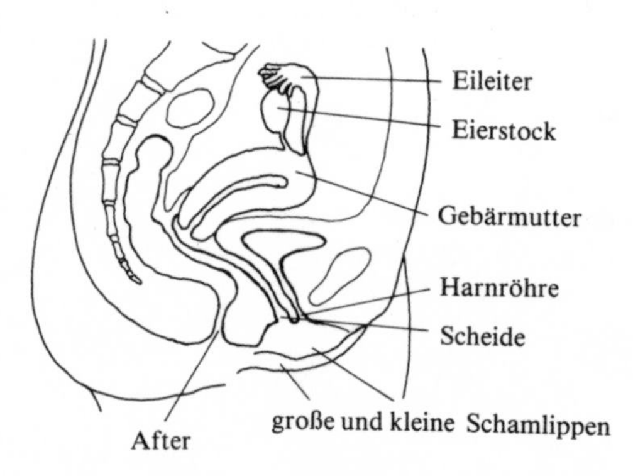

Quelle: Österreichische Krebshilfe

Die Gebärmutter (Uterus) ist ein muskulöses Hohlorgan von 6 bis 9 Zentimetern Länge und einem Gewicht von ca. 50 Gramm. Ihre Form ähnelt einer am Kopf stehenden Birne. Sie wird von Bändern, die im Skelett verankert sind, gehalten, ist aber dennoch in der Lage, sich bei einer Schwangerschaft in den Bauchraum hinein auszudehnen.

Bei 80% der Frauen ist die Gebärmutter leicht nach vorne geneigt. Es kann aber auch sein, daß die Gebärmutter nach vorne oder hinten geknickt ist (Gebärmutterknickung — Anteflexio oder Raetroflexio). Eine Knickung muß aber nur dann behandelt werden, wenn sie Beschwerden verursacht. Und das kommt in den seltensten Fällen vor. Eine Gebärmutterknickung ist kein Grund für Kinderlosigkeit!

Ausgekleidet ist die Gebärmutter mit zwei Schleimhäuten, der Basalisschicht und der Funktionalis. Die Funktionalis wird bei jedem Zyklus neu gebildet und ist im Fall einer Befruchtung der Nährboden für die Einnistung der Eizelle. Findet keine Befruchtung statt, wird diese Schleimhaut zusammen mit der unbefruchteten Eizelle und dem Menstruationsblut abgestoßen. Die Basalisschicht nimmt an den zyklischen Veränderungen nur unwesentlich teil. Während einer Schwangerschaft vervielfachen sich Größe und Gewicht der Gebärmutter (von 3 Kubikzentimeter auf ungefähr 5 Liter = 1500fache Vergrößerung).

In den oberen, breiteren Teil der Gebärmutter münden die beiden Eileiter.

Nach unten hin verengt sie sich zum Scheidenkanal und mündet am inneren Muttermund in den Gebärmutterhals (cervix uteri). Mit dem äußeren Muttermund und der sogenannten Portio ragt er in die Scheide hinein.

Die Länge des Gebärmutterhalses beträgt 2 bis 3 Zentimeter. Zum Schutz gegen Keime bildet sich in der Gebärmutter ein schleimiges Sekret, das den Gebärmutterhals zur Scheide hin abschließt. Zur Zeit des Eisprungs ist dieser Schleim dünnflüssig und der Gebärmutterhals so für Spermien durchgängiger. Kommt es zu einer Schwangerschaft, verdichtet sich dieser Schleim zum sogenannten zervikalen Schleimpfropf und verschließt den Gebärmutterhals hermetisch, bis er

Die inneren Geschlechtsorgane (von vorne betrachtet)

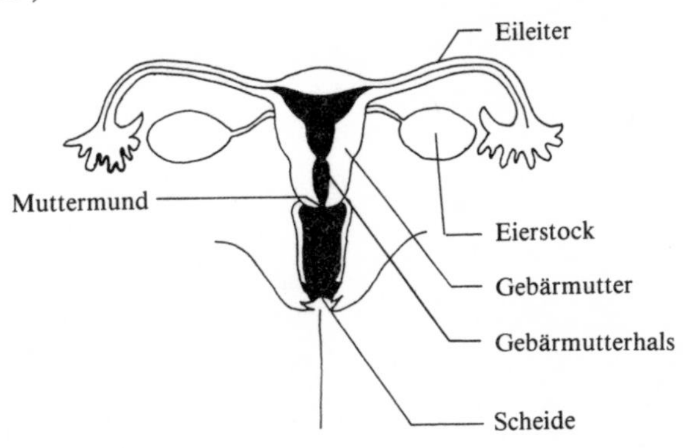

Quelle: Österreichische Krebshilfe

sich unmittelbar vor der Geburt löst und abgeht.

Die Scheide (Vagina) ist das Verbindungsorgan zwischen äußeren und inneren Geschlechtsorganen. Sie ist bei der erwachsenen Frau 8 bis 11 Zentimeter lang. Sie wird am äußeren Ende von der Scheidenöffnung und am anderen Ende vom Muttermund begrenzt. Die schlauchförmige Scheide ist mit unverhornter Haut ausgekleidet.
Das saure Scheidenmilieu schützt eine Frau normalerweise vor Scheidenentzündungen. Wird jedoch aus irgendeinem Grund die Mikrobenflora der Scheide ins Ungleichgewicht gebracht, kann es zu einer Entzündung kommen (siehe auch Ausfluß, Seite 43).

Die Brüste

Die Brust besteht aus Milchdrüsen und Fettgewebe. Unter dem Einfluß der Hormonproduktion entwickelt sich in der Pubertät das Drüsengewebe, die Brust wird größer.

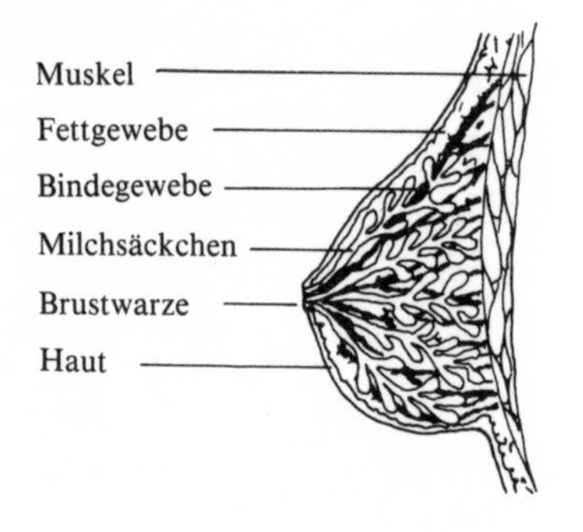

Es kann sein, daß die Brüste manchmal unterschiedlich schnell wachsen. Das gleicht sich aber später wieder aus.
Die Brustwarze sitzt in der Mitte des Warzenhofes (Areola). Beide zusammen sind dunkler gefärbt als die übrige Brust. Die Brustwarze kann herausstehen, muß aber nicht. Bei manchen Frauen geht sie sogar nach innen (Schlupfwarzen). Bei Kälte oder sexueller Erregung richten sich die Brustwarzen auf.

Die Größe der Brust hat überhaupt keinen Einfluß darauf, ob die Brustwarze stimuliert werden und ob eine Frau erfolgreich stillen kann.

Menstruation

Ist das Wort Menstruation auch heute noch tabu?

Moses, Altes Testament: „Wenn ein Weib ihres Leibes Blutfluß naht, die soll sieben Tage lang unrein geachtet werden; wer sie anrührt, der wird unrein sein bis auf den Abend. Und alles, worauf sie liegt, solange sie ihre Zeit hat, wird unrein sein, und alles, worauf sie sitzt, wird unrein sein."
Allzuviel scheint sich seit der Zeit unserer biblischen Vorväter nicht geändert zu haben. So war zum Beispiel bis zum Jahr 1972 in den USA Werbung für Binden und Tampons in Radio und TV verboten. Eine gewisse Peinlichkeit ist bei dieser Werbung auch heute noch zu spüren. Diese Werbung ist zwar alltäglich geworden, jedoch sollen die beworbenen Produkte — und das läßt schon die verwendete Sprache erkennen — für diese „Tage" Diskretion und Unauffälligkeit garantieren. Frauen könnten sich in diesen „kritischen Tagen", in diesen „besonderen Tagen" frei und sicher fühlen, wird versprochen; die Menstruation wird erfolgreich vertuscht.
Früher wurden Frauen, die menstruierten, abgesondert, heute suggeriert man ihnen, daß kein Unterschied zwischen einer menstruierenden und einer nicht menstruierenden Frau bestehe. Das Tabu der Menstruation bleibt bestehen. Es ist lediglich dem veränderten Rollenverhalten der Frauen angepaßt. Es liegt an den Frauen, das zu ändern.

Es gab Zeiten, da wurden menstruierenden Frauen wunderbare und geheimnisvolle, ja sogar heilbringende Kräfte zugeschrieben. Diese Kräfte wurden ihnen während „ihrer Tage" von Göttern, Geistern und Dämonen eingegeben. War es ihnen doch möglich zu bluten, ohne zu verbluten. Auch gab es diesen wundersamen Gleichklang der Blutung mit einem himmlischen Ereignis — nämlich mit dem Zyklus des Mondes (siehe auch Lunaception, Seite 100). Sogar als Heilmittel wurde das Menstruationsblut verwendet. Doch wurde andererseits diesem Blut auch zerstörerische Kraft zugeschrieben. So glaubten zum Beispiel die Eskimos, daß ein Jäger, der mit einer menstruierenden Frau in Berührung gekommen war, für jedes Tier sofort sichtbar würde. In Japan durften Frauen, die ihre Tage hatten, niemanden ansehen, bei den Zigeunern durften sie kein Brot backen.

Menstruation als ein Weg zu sich selbst

„Menstruation ist eine Zeit, in der jede gesunde Frau ihre Fähigkeiten und Kräfte aufspüren kann, die nicht mit den Werten von Gebären und Eisprung in Verbindung stehen, sondern mit jener anderen Seite ihrer Natur, der Unabhängigkeit des Denkens und Handelns. Sie ist der komplementäre Teil zum Eisprung. Während der Menstruation setzt sie die ihr zur Verfügung stehenden Energien von Empfangen und Aufnehmen und Entwickeln für sich selbst ein." (Zitat aus: Penelope Shuttle und Peter Redgrove: Die weise Wunde Menstruation, Frankfurt/Main, 1980, S. 29)

Zur Zeit der Menstruation werden Energien der äußeren Welt abgezogen, damit sich die Frau ganz den inneren Prozessen widmen kann. So wurde in Untersuchungen festgestellt, daß die Sinneswahrnehmungen nach außen — Sehen, Hören, Riechen — während der Regel herabgesetzt sind. Psychische und physische Selbstwahrnehmung hingegen sind in gleichem Maße erhöht.

Auch die Traumforschung bestätigt, daß die Menstruation eine Aktivierung unterbewußter Prozesse mit sich bringt. Die Dauer der REM-Phasen („Rapid Eye Movement"-Schlaf, damit wird jene Schlafphase bezeichnet, in der sich die Augen am stärksten bewegen; sie ist eine Phase intensiven Träumens) erhöht sich gegen Ende des Zyklus. Während Träume vor der Menstruation oft verworren sind und zur Zeit des Eisprungs entspannter, befriedigender und auch passiver, sind Träume während der Regel aktiver und stärker und bestätigen somit das Interesse für innere Prozesse während der Blutung.

Diese innere Sensibilität läßt auch verstehen, warum Menstruationsbeschwerden zum überwiegenden Teil psychische Ursachen haben (siehe Menstruationsbeschwerden, Seite 25f.).

Eine Frau verbringt durchschnittlich 6 Jahre ihres Lebens mit der Menstruation (ungefähr 2500 Tage). 6 Jahre Zeit, sich mit ihrem Körper, mit ihrem Frausein auseinanderzusetzen.

Wichtig ist der richtige Einstieg, das Erlebnis der ersten Regel. Die Menarche — die erste Blutung — ist ein Schlüsselerlebnis für jedes Mädchen. Fast alle Frauen können sich an diesen Tag, an die Begleitumstände ganz genau erinnern und wissen, was und wie sie damals empfunden haben. Für das spätere Leben sind diese Eindrücke bestimmend. Sind sie negativ, sind sie oft ein Grund für Regelstörungen bis hin zur Unfruchtbarkeit.

Der Zyklus beginnt im Mutterleib

Schon im Mutterleib produziert der weibliche Embryo 400.000 Eibläschen und reagiert über den Mutterkuchen (Plazenta) auf die mütterlichen Sexualhormone. Mit der Geburt und dem Wegfall des mütterlichen Östrogens kommt es bei rund 3% aller neugeborenen Mädchen zu einer sichtbaren „ersten Blutung", bei rund der Hälfte ist diese „erste Blutung" mit dem Mikroskop zu sehen. Auch können die kindlichen Brustdrüsen während der ersten Tage die sogenannte Hexenmilch absondern.
Nach der dritten Lebenswoche ist diese Übergangsphase vorbei, und das Mädchen hat ihre eigene autonome Hormonwelt.

Die Menarche — die erste Regel

Die erste Blutung erfolgt meist um das 13. Lebensjahr. Jedoch sind Abweichungen nach oben und unten durchaus üblich und normal.
Bei dieser ersten Regel findet meist

kein Eisprung statt. Zyklen ohne Eisprung sind auch nach der Menarche häufig.
In so einem Zyklus wird durch die hohe Östrogenkonzentration Gebärmutterschleimhaut „aufgebaut" und dann abgestoßen (monophasische Zyklen). Es kann 2 oder 3 Jahre dauern, bis sich der zweiphasige Zyklus mit Eisprung einstellt.

Der Zyklus

Bei der Geburt enthalten die Eierstöcke eines Mädchens 300.000 bis 400.000 Eibläschen (Follikel). Nur 300 bis 400 von ihnen entwickeln sich im Laufe der Regelzyklen zu reifen Eiern. Die anderen Eibläschen werden abgebaut.
In jedem Fortpflanzungszyklus reift eine Eizelle heran, die beim Eisprung den Eierstock (Ovarium) verläßt, vom erweiterten Ende des Eileiters aufgefangen wird und durch den Eileiter in die Gebärmutter (den Uterus) wandert.
Bleibt die Eizelle unbefruchtet, so zerfällt sie, und der Zyklus beginnt in monatlichen Abständen von neuem.
Findet zum richtigen Zeitpunkt während des Zyklus eine Befruchtung statt, dann erreichen Spermien die Eizelle, während sie sich im Eileiter befindet. Das befruchtete Ei beginnt noch im Eileiter sich zu teilen und erreicht die Gebärmutter 3—4 Tage nach der Befruchtung als Morula (kugelig gestaltetes Häufchen von 8 oder mehr Zellen). In der Gebärmutter entwickelt sich durch weitere Teilung der Zellen die Blastozyste — eine Hohlkugel, in deren einer Hälfte sich eine Gruppe von späteren Embryonalzellen befindet. Diese Blastozyste bleibt an der Schleimhaut (Endometrium), die die Gebärmutter auskleidet, haften und nistet sich an der Wand der Gebärmutter ein. Aus dem Inneren dieser Zellkugel entwickelt sich der Embryo, während die äußeren Zellen gemeinsam mit den benachbarten Zellen und den Blutgefäßen der Gebärmutterwand den Mutterkuchen (die Plazenta) bilden. Der Mutterkuchen sorgt während der Schwangerschaft für den Austausch von Nährstoffen zwischen mütterlichem und embryonalem Kreislauf. Die Schwangerschaft beginnt mit der Einnistung der Blastozyste.
All diese geschilderten Vorgänge werden durch das Zusammenspiel von Hormonen gesteuert, die sich in einem Teil des Zwischenhirns (Hypothalamus), in der Hirnanhangsdrüse (Hypophyse), in den Eierstöcken und bei einer Schwangerschaft in der Plazenta bilden. Unter dem Einfluß des follikelstimulierenden Hormons (FSH), das von der Hirnanhangsdrüse ausgeschüttet wird, entwickelt sich in einem als Follikel bezeichneten Bläschen oder Säckchen die Eizelle. Erreicht der Follikel eine bestimmte Größe, dann produzieren seine Zellen Östrogene (weibliche Geschlechtshormone) — unter ihnen hauptsächlich das Östradiol —, die sowohl auf die Hirnanhangsdrüse als auch auf die Gebärmutter wirken. In der Hypophyse wird die Produktion von FSH vorübergehend herabgesetzt, und in der Gebärmutter bedingen diese Geschlechtshormone das Wachstum der Schleimhaut

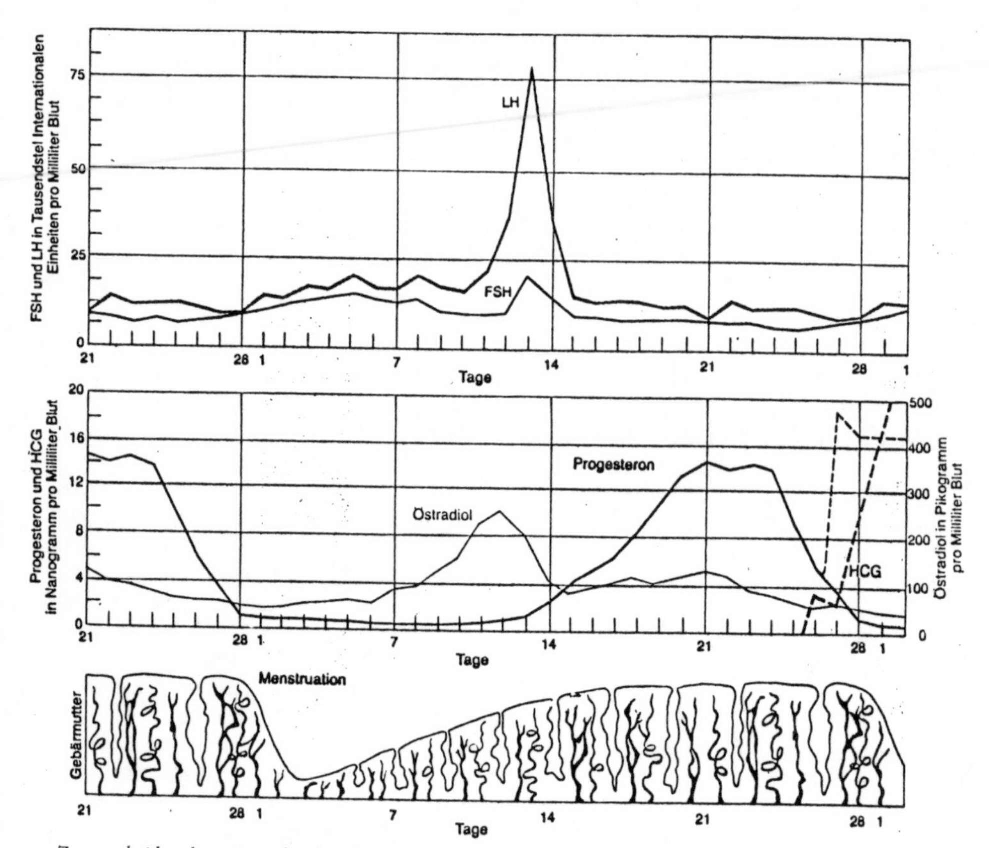

Zu- und Abnahme verschiedener Hormone während des Menstruationszyklus
Quelle: W. Feichtinger

und ihrer Drüsen. Dann tritt ein zweites Hypophysenhormon, das luteinisierende Hormon (LH) in den Vordergrund. Es bringt die Eizelle zur völligen Ausreifung und sorgt dafür, daß der Follikel aufplatzt (Follikelsprung — Eisprung). Damit kann das befruchtungsfähige Ei den Eierstock verlassen und in den Eileiter gelangen. Außerdem bewirkt das LH, daß sich das im Eierstock verbleibende Follikelgewebe in den Gelbkörper (Corpus luteum) umwandelt. Dieser Gelbkörper produziert dann seinerseits das Progesteron, das die Gebärmutterwand zur weiteren Entwicklung der Schleimhaut veranlaßt und sie so auf die Einnistung vorbereitet. Bleibt eine Schwangerschaft aus (erreicht also keine Blastozyste die Gebärmutter), so beginnt im Eierstock ein neuer Follikel zu wachsen, und der Gelbkörper des vorangegangenen Follikels zerfällt. Die daraus folgende Änderung im Östradiol-Progesteron-Gleichgewicht führt dazu, daß die Gebärmutterschleimhaut abstirbt und während der anschließenden Menstruation abgestoßen wird.

Wie regelmäßig ist die Regel?

Kaum eine Frau hat einen völlig regelmäßigen Menstruationszyklus. Seine Länge schwankt zwischen 20 und 36 Tagen, im Durchschnitt dauert er 28 Tage.

Die Blutung dauert 3 bis 8 Tage, wobei sich dies von Mal zu Mal ändern kann und von vielen verschiedenen Faktoren abhängig ist.

Pro Periode werden rund 50 ml Flüssigkeit abgegeben. Meist sind die Blutungen am 2. Tag am stärksten.
Das Menstruationsblut enthält Schleim aus der Gebärmutter, Teile der Gebärmutterschleimhaut und Blut.
Die Angst, während der Menstruation zuviel Blut zu verlieren, ist fast immer unbegründet. Die abgegangene Blutmenge wird im Körper der Frau wieder nachgebildet.
Sollten mehr als 6 Binden pro Tag gebraucht werden, oder sollte nach einer Stunde ein Tampon vollgesaugt sein, so ist die Konsultation eines Arztes angebracht. Ursache für solche zu starke Blutungen (Hypermenorrhoe) können Myome, Geschwüre, aber auch die „Spirale“ oder krankhafte Veränderungen der Gebärmutterschleimhaut sein.

Regelstörungen

Zu lange Zyklen (Oligomenorrhoe)

Wenn der Zyklus mehr als 36 Tage und weniger als 3 Monate dauert, spricht man von Oligomenorrhoe.
Lange Zyklen können hormonelle, aber auch organische Ursachen haben. Mögliche Ursachen sind:

- kein Eisprung
- zuviel Gelbkörperhormonbildung
- Zysten an den Eierstöcken
- Schilddrüsenerkrankungen.

Natürlich können auch Streßfaktoren, Kummer, Probleme im Alltag zu langen Zyklusintervallen führen. In Spannungssituationen verändern sich die Hormonkreisläufe, und so kann sich auch der Eisprung verschieben.
Junge Mädchen nach der Menarche und Frauen vor den Wechseljahren haben häufiger lange Zyklen. Im ersten Fall bedeutet es das Einpendeln auf den eigenen Regelrhythmus, im zweiten Fall ist es die Ankündigung der Menopause.

Zu kurze Zyklen (Polymenorrhoe)

Sind die Zyklusintervalle zu kurz (weniger als 22 Tage), so gibt es laut Schulmedizin drei unterschiedliche Gründe dafür:

- Gestagenmangel. Die Gelbkörperphase im Zyklus ist verkürzt. Gestagen ist jenes Hormon, das für die Entstehung und die Erhaltung einer Schwangerschaft notwendig ist. Das wichtigste, natürliche Gestagen ist das Progesteron.
- Verfrühter Eisprung, d.h. verkürzte Follikelphase.
- Kein Eisprung.

Behandlung:

Eine Behandlung der kurzen Zyklusintervalle ist in folgenden Fällen angebracht:

- Bei Kinderwunsch:
  Ist zuwenig Gestagen vorhanden, verkürzt sich die Gelbkörperphase, und die Gebärmutterschleimhaut hat nicht genug Zeit, sich auf eine Einnistung des befruchteten Eis einzurichten.
  Findet kein Eisprung statt, sind Behandlungsmethoden notwendig, die den Eisprung stimulieren oder die Gelbkörperphase verlängern (z.B. Clomiphencitrat, HMG-HCG, Progesteronpräparate), da sonst keine Schwangerschaft möglich ist.
- Bei sehr starken Blutungen, da dann der Blutverlust zu groß ist und zu Blutarmut führen kann.
- Ist eine Frau durch den zu kurzen Zyklus psychisch beeinträchtigt, besteht auch die Möglichkeit, durch Zykluspräparate (Kombinationen aus Östrogen und Progesteron) den Zyklus zu regulieren. Entweder mit Empfängnisschutz und auch ohne. Es gibt schon so niedrig dosierte Präparate, daß sie keinen Empfängnisschutz bieten und nur den Zyklus normalisieren.

Auch mit Heilpflanzen kann man bei verfrühter Menstruation Erfolge erzielen: Hormonregulierende Pflanzen sind unter anderem Salbei und Heckenrose.

Heckenrose (Rosa canina)

2 Eßlöffel Blüten und Blätter in 1 Liter kochendes Wasser geben, 10 Minuten ziehen lassen. 3—4 Tassen pro Tag trinken.
Oder
Pro Tasse Wasser 5—10 Früchte (Hagebutten) 2 Minuten kochen und danach durch ein Sieb drücken. 3—4 Tassen pro Tag trinken.

Salbei (Salvia officinalis)

20 g (2 Eßlöffel) Blüten und Blätter in 1 Liter kochendes Wasser geben, 10 Minuten ziehen lassen. 3 Tassen pro Tag trinken.

Zwischenblutungen

Zu Zwischenblutungen kann es in der Zyklusmitte beim Eisprung kommen. Aber auch Myome, Polypen, „Geschwüre“ am Muttermund sowie die Spirale und die Einnahme einer zu niedrig dosierten Pille können Ursache für Zwischenblutungen sein.
Bei Entzündungen oder Geschwüren am Muttermund kann es zu Kontaktblutungen nach dem Verkehr kommen.
In so einem Fall soll ein Arzt bzw. eine Ärztin zu Rate gezogen werden, die mit Hilfe einer Kolposkopie (siehe Seite 114) die Ursache abklärt (siehe auch Polypen, Myome, „Geschwüre am Muttermund“, Seite 51 f.).

Ausbleiben der Regel

Den wahren Grund zu finden, warum die Regel ausbleibt, ist äußerst schwierig. Zu viele Mechanismen spielen beim Ablauf des Zyklus eine Rolle (siehe Seite 21 f.).
Von *primärer Amenorrhoe* spricht man dann, wenn eine Frau überhaupt nie eine Regel hatte. Dies kommt jedoch sehr selten vor.
Gründe dafür können Chromosomendefekte, Verschluß oder Verengung der Gebärmutter oder Scheide, Verwachsungen oder eine Verzögerung in

der Entwicklung sein, die durch die Hypophyse oder die Eierstöcke verursacht werden.
Als *sekundäre Amenorrhoe* bezeichnet man jenes Ausbleiben der Monatsblutung, das nach einigen normalen Zyklen auftritt.
Gründe für die sekundäre Amenorrhoe können sein:

- Psychisch bedingte Faktoren: Veränderung der Lebenssituation, Reisen, starke Zu- oder Abnahme des Körpergewichtes (z.B. Magersucht)
- Zysten an den Eierstöcken
- Mißbildungen der Gebärmutter, Verwachsungen
- Verfrühte Menopause

Bei der Behandlung dieser Zyklusstörungen muß zuerst einmal abgeklärt werden, ob organische, anlagebedingte oder andere Faktoren verantwortlich sind.

Wichtig:

Es ist völlig ungefährlich, wenn die Regel einmal ausbleibt (und keine Schwangerschaft vorliegt).
Ammenmärchen wie „das Blut staut sich im Körper", oder „das Blut vergiftet den Körper", machen vielen Frauen Angst. Diese Angst ist völlig unbegründet! So ein Ausbleiben der Regel hat meist psychische Gründe. Vielleicht will die Frau die Regel gar nicht haben.
Gespräche sind in so einem Fall auf jeden Fall sinnvoller als Medikamente.

Behandlung:

Zykluspräparate und die Pille sind für Frauen geeignet, die unbedingt einen regelmäßigen Zyklus brauchen.
Es gibt auch Zykluspräparate, die so niedrig dosiert sind, daß sie den Eisprung nicht unterdrücken, sondern nur den Zyklus stabilisieren.
Besteht ein Kinderwunsch, so sind Medikamente sinnvoll, die den Eisprung auslösen. Diese Präparate „täuschen" die Rezeptoren im Hypothalamus und fördern so einen Rückkopplungsmechanismus, der in weiterer Folge die Eierstöcke zur Produktion von Östrogen veranlaßt. Sie bringen den Regelkreis sozusagen wieder in Schwung.

Regelverschieben

Immer wieder fragen Frauen, ob und wie es möglich ist, den Regeltermin, vielleicht wegen einer Urlaubsreise oder anderen Terminen, einmal zu „verschieben".
Am einfachsten funktioniert so ein Verlegen des Menstruationstermines mit der Pille („Ein-Phasen-Präparat", siehe Kontrazeption Seite 86). Man kann die Pille bis zu 28 Tage nehmen oder auch früher mit der Einnahme aufhören. Die Einnahme sollte aber mindestens 14 Tage erfolgen. Eine solche Verschiebung sollte jedoch nicht ohne Konsultation des Frauenarztes gemacht werden.

Menstruationsbeschwerden (Dysmenorrhoe)

Nach wissenschaftlichen Untersuchungen leiden mehr als 80% aller Frauen während ihrer „Tage" z.B. an Unterleibskrämpfen, Rückenschmerzen, Kopfweh, Übelkeit.
Auch die Tage vor der Menstruation

erlebt fast die Hälfte der Frauen als sehr belastend. Diese Beschwerden, die vor der Regel auftreten, werden als *Prämenstruelles Syndrom* bezeichnet. Gereizt, niedergeschlagen, ausgelaugt; so fühlen sich viele Frauen vor den Tagen der Periode. Geschwollene Beine, Spannungsgefühl in den Brüsten, Pickel, Kopfschmerzen und eine Gewichtszunahme bis zu 4 Kilo (durch Wassereinlagerung im Körper) runden das Unwohlsein ab.

Algomenorrhoe ist der medizinische Fachausdruck für jene Schmerzen, die während der Blutung auftreten.
Symptome: Plötzlich einsetzendes Ziehen und Krämpfe im Unterleib, oft auch nur ein dumpfes Druckgefühl, gelegentlich auch Übelkeit, Unruhe und migräneartige Kopfschmerzen.
Schuld daran soll die erhöhte Menge an Prostaglandinen im Körper sein.
Prostaglandine sind hormonähnliche Substanzen, die für das Zusammenziehen der Gebärmutter verantwortlich sind. Dieses Zusammenziehen ist für die Erneuerung der Schleimhaut wichtig. Bei Frauen mit starken Regelkrämpfen wurde auch eine erhöhte Konzentration von Prostaglandinen festgestellt. Auch andere Hormone (Oxytozin, Vasopressin) beeinflussen die Heftigkeit der Regelkrämpfe.

Psychische Ursachen für Regelschmerzen

Obwohl in den Lehrbüchern psychische Ursachen noch nicht berücksichtigt werden, gibt es immerhin einige interessierte Fachärzte der Gynäkologie, die psychosomatische Aspekte bei ihren Untersuchungen beachten.
In einem Referat bei einer Fachtagung traf der bundesdeutsche Gynäkologe K. H. Lukas*) den Kern des Problems, als er sagte: „Der Fehler, der dem Gynäkologen als Organspezialisten leicht unterläuft, ist, daß er sein Augenmerk zu stark dem Organ zuwendet und nicht den Menschen als Ganzes sieht."

Er sieht folgende mögliche psychische Ursachen für Regelbeschwerden: Die Tatsache, daß die Menstruation Ausdruck des Frau-seins oder Frau-werdens ist, läßt die schmerzhafte Regelblutung als Ablehnung der weiblichen Rolle verstehen.

- Bei jungen Mädchen kann es zum Beispiel vorkommen, daß sie sich als die Jüngste und als die „Kleine" gegen mehrere überlegene Brüder durchsetzen müssen und dabei viel lieber ein Bub wären.
- Es kann auch sein, daß das Mädchen als die Älteste einer größeren Geschwisterreihe in Stellvertretung der Mutter Erwachsenenpflichten übernehmen muß, die ihre Kräfte übersteigen.
- Eine weitere Möglichkeit ist, daß die Menstruationsbeschwerden der willkommene Anlaß sind, wenigstens vorübergehend die besondere Zuwendung der Mutter zu erhalten.
- Schließlich kann es auch sein, daß das Mädchen die Regelschmerzen einfach von ihrer Mutter oder auch der älteren Schwester „übernimmt". Bei ihnen glaubte sie eben schon vor der ersten Regelblutung die Erfahrung gemacht zu haben, daß Schmerzen zur selbstverständlichen und unabwendbaren Begleiterscheinung der Periode gehören.

---

*) *„Die Dysmenorrhoe als Prototyp des Schmerzphänomens in der Gynäkologie" Referat von K. H. Lukas, Mainz 1983, Seminartagung „Psychosomatische Geburtshilfe und Gynäkologie".*

In der Adoleszenz (am Ende des Jugendalters) sieht K. H. Lukas zwei Hauptursachen für Regelschmerzen:

- Das Selbstwertgefühl des Mädchens wird gekränkt. Die labile Jugendliche fühlt sich zurückgesetzt und ungerecht behandelt. Solche Situationen entstehen besonders leicht beim Übergang von einem Aufgabenbereich in einen anderen, wie beispielsweise von der Schule, in der das Mädchen tüchtig und angesehen war, in die Lehrstelle, wo sie plötzlich als Anfängerin den letzten Platz einnimmt.
- Die Auseinandersetzung mit dem anderen Geschlecht.

Anders seien die Probleme der erwachsenen Frau. Drei Stichworte charakterisieren ihre psychischen Menstruationsbeschwerden:
Mann, Kind, Schwiegermutter — meint K. H. Lukas. Waren es früher — vor der Pille — die Angst vor einer ungewollten Schwangerschaft und die böse Schwiegermutter, die vielen Frauen zu schaffen machte (und sicher auch noch macht), so sind heute vor allem unerfüllter Kinderwunsch und eheliche Schwierigkeiten die Hauptursachen für Regelbeschwerden.

Schmerzen im allgemeinen und bei der Regel im besonderen sind Warnsignale, die anzeigen, daß die Lebenssituation, die Beziehung mit dem Partner, mit der Umwelt nicht befriedigend ist. Sie können auch als Aufforderung verstanden werden, wieder ein bißchen mehr auf sich zu schauen.
Daher ist es wichtig, seinen Körper, seine Schmerzen richtig kennen und deuten zu lernen. Hilfreich können Gespräche in Frauengruppen, aber natürlich auch mit Freundinnen oder mit einem verständnisvollen Gynäkologen bzw. einer Gynäkologin sein.

Organische Gründe für Regelbeschwerden

Entzündung im kleinen Becken (Eileiter, Gebärmutter, Bauchfell), eine Gebärmutter, die zu stark nach hinten zum Dickdarm hingeneigt und nicht aufrecht hinter der Harnblase sitzt und Endometriose können Regelbeschwerden verursachen.

Die Endometriose
Darunter versteht man eine Ansiedlung von Gebärmutterschleimhaut an Stellen im Bauchraum, wo sie nichts zu suchen hat, z.B. in den Eierstökken, den Eileitern, auf der Harnblase, auf dem Darm.
Die Schleimhaut, die die Gebärmutter auskleidet, heißt Endometrium. Sie soll bei einer Schwangerschaft die befruchtete Eizelle aufnehmen. Während eines Monatszyklus bereitet sie sich auf eine Schwangerschaft vor. Unter Einfluß des Östrogens (siehe auch Zyklus, Seite 21 f.) baut sich die Schleimhaut in der ersten Zyklusphase auf. Findet keine Befruchtung statt, fällt diese Schleimhaut in sich zusammen und wird zusammen mit der Eizelle unter Blutungen abgestoßen. Bei der Endometriose reagieren die im Körper versprengten Teile der Gebärmutterschleimhaut so, als säßen sie noch in der Gebärmutter, und machen den zyklischen Auf- und Abbau mit. In der Zeit von einer Blutung zur nächsten werden sie langsam dicker und drücken auf die umgebenden Organe.
Die Ursachen der Endometriose sind noch nicht genau bekannt.
Drei Möglichkeiten sind denkbar:
Es könnte sich um Zellen handeln, die während der ganz frühen Entwicklung des Embryos im Mutterleib nicht an den richtigen Platz gelangt sind.

Es wäre aber auch möglich, daß es während der Menstruation passiert: Das Menstruationssekret — Blut und Schleimhautteile — schlägt den falschen Weg ein und wird aus ungeklärten Gründen nicht durch die Gebärmutter nach außen befördert, sondern durch den Eileiter in den Bauchraum. Gründe dafür können ebenfalls psychischer Natur sein, z.B. in Form von starken Gebärmutterverkrampfungen, die durch schwere psychische Traumen ausgelöst werden. (So ist dem Autor eine Patientin mit schwerer Endometriose bekannt. In einem längeren Gespräch stellte sich heraus, daß gerade zum Zeitpunkt ihrer allerersten Regelblutung ihr Vater bei einem Autounfall ums Leben kam. Seither litt sie unter schwersten Regelschmerzen.)
Andere Wissenschafter hingegen meinen, daß das Immunsystem schuld sei: Es sei bei Endometriose nicht in der Lage, die ortsfremd angesiedelten Schleimhautteile abzubauen.

Behandlungsmöglichkeiten:

Hormonbehandlung:
Behandelt wird z.B. mit starken Progesteronpräparaten. Sie bewirken ein Schrumpfen der Gebärmutterschleimhaut. Diese Behandlung hat jedoch Nachteile wie Ausbleiben der Regel, unregelmäßige Schmierblutungen, eventuell Brustspannen, Gewichtszunahme.
Es gibt auch Hormonpräparate, die die Frau reversibel (vorübergehend) in eine Art künstlichen Wechsel versetzen. Sie werden nur bei stärkeren Endometriosen gegeben. (Nach Absetzen des Präparates beginnt aber wieder der normale Regelzyklus!)
Bei leichteren Formen kann auch die Einnahme eines normaldosierten Pillenpräparates helfen. Diese Einnahme muß jedoch mehr als 6 Monate aufrechterhalten werden. Die Pille bewirkt ein leichtes Schrumpfen der Gebärmutterschleimhaut und somit auch ein Schrumpfen der versprengten Gebärmutterschleimhaut-Teile.

Operative Behandlung:
Eine operative Entfernung ist nur bei ganz schweren Formen der Endometriose notwendig. Die Operation wird immer unter Vollnarkose entweder mittels Laparoskopie (Eingriff mit einem optischen Gerät, das durch den Nabel eingeführt wird, siehe auch Seite 114) oder auch unter Eröffnung des Bauchraumes durchgeführt. Die Entfernung der Endometriosen erfolgt mikrochirurgisch oder mit dem Laser.

Was tun bei Regelbeschwerden?

Westliche und östliche Mediziner sind, was die Verhaltensregeln während der Tage angeht, unterschiedlicher Auffassung.

Amerikanische Autoren empfehlen, daß Frauen die normale Aktivität beibehalten sollen.

In der chinesischen Medizin wird die menstruierende Frau als eine Frau mit verminderter Abwehr gesehen und besonders geschont.
Wir glauben, daß jede Frau für sich entscheiden muß, was für sie gut und angenehm ist. Die nachfolgenden Tips sind als Anregung gedacht.

10 Anregungen für den Umgang mit Regelschmerzen:

1. Dinge tun, die einem Spaß machen.

Schwimmen, Sport treiben, Wandern oder ein warmes Vollbad nehmen — alles ist erlaubt!

2. Auch Sex!

Erwiesenermaßen haben Geschlechtsverkehr, aber auch Selbstbefriedigung entkrampfende und entspannende Wirkung!

3. Bauchtanzen

Der orientalische Bauchtanz ist seiner Herkunft nach ein Geburtstanz. Frauen von Nomadenstämmen tanzen auch heute noch vor einer Geburt nach den bekannten Rhythmen. Der Tanz soll die Geburt erleichtern, weil durch die Entspannung der Gebärmuttermuskeln die Wehen erträglicher werden.
Die schmerzhaften Kontraktionen während der Periode sind den Geburtswehen ähnlich, daher ist auch die Wirkung des Bauchtanzens krampflösend. Die Blutung kann durch die rhythmischen Bewegungen zwar heftiger, dafür aber auch kürzer und weniger schmerzhaft sein.

4. Autogenes Training, Entspannungsübungen und Yoga

Sich „richtig entspannen" zu können, wird bei Regelschmerzen und Krämpfen von vielen Frauen als sehr angenehm empfunden.

Beim Autogenen Training ist die Bereitschaft, auf Körpergefühle zu achten, Voraussetzung. Ziel ist die Selbstentspannung, Erholung, Selbstregulierung von Atmung, Verdauung, Kreislauf und Schmerzlinderung.

Es gibt Yoga-Übungen speziell für die weiblichen Sexualorgane.
Diese Übungen sollen es der Frau ermöglichen, eine bessere Zirkulation der Energie und eine Kontrolle der Muskeln im kleinen Becken (Eileiter, Gebärmutter, Bauchfell) zu bekommen. Die Frau lernt, sie zusammenzuziehen und zu entspannen.
Aviva Steiner, eine Krankengymnastin aus Israel, hat diese Übungen entwickelt, erforscht und erprobt.
Die Übungen, von denen man einige zu rhythmischer Musik tanzen kann, zielen auf die Durchblutung des Unterleibs, die Erwärmung der Genitalorgane und die Beweglichkeit des Beckens ab. Zugleich wird der Atem mit den Bewegungen koordiniert:
Dehnt sich der Körper, wird eingeatmet, beim Zusammenziehen ausgeatmet. Geatmet wird immer durch die Nase. Der Fluß des Atems ist gleichmäßig bei den „Spürübungen", heftig und abgehackt bei den „Tanzübungen" — stets richtet man sich nach dem eigenen Atemrhythmus.
Für die Spürübungen braucht man etwa 20 Minuten. Daran schließen sich 20 Minuten „Tanzübungen" und abschließend 20 Minuten Entspannung an. Wichtig ist es, sich nach den Übungen nicht auskühlen zu lassen, also auch nicht kalt zu duschen oder in kaltem Wasser zu schwimmen. Ein heißes Bad hingegen tut sehr gut. Alle drei Teile der Übung sind gleich wichtig und gehören unbedingt zusammen.

Phase 1: Spürübungen

Was spüre ich in meinem Becken? Welche Organe fühle ich wo? Kann ich die Lage der Eierstöcke feststellen? Fühle ich meine Gebärmutter? Wie weit lasse ich meinen Atem ins Becken dringen?

- *Schmetterling:* Auf den Boden

setzen, die Fußsohlen aneinanderlegen und die Fersen möglichst nahe zum Damm ziehen. Geradesitzen, tief ins Becken atmen und mit den Knien flattern, als ob es Schmetterlingsflügel wären. Behutsam beim Ausatmen die Knie immer tiefer auf den Boden drücken.

- *Grätsche:* Aus dem Schmetterlingssitz die Füße von innen fassen und die Beine gegrätscht hochziehen. Auf den beiden Pobacken und dem Steißbein balancieren. Tief und ruhig atmen.

- *Seitlicher Beinschwung:* Auf die linke Seite legen. Die Beine liegen gestreckt übereinander. Mit dem linken Unterarm abstützen, die rechte Hand vor dem Körper. Beim Einatmen langsam und gerade das rechte Bein hochheben, den Fuß lockerlassen. Das linke Bein bleibt gestreckt auf dem Boden. Beim Ausatmen das rechte Bein langsam und gestreckt zu Boden senken. Mehrmals wiederholen, bis ein Gespür für die Beckenorgane im Körper aufsteigt. Dann die Seitenlage wechseln.

- *Gerader Beinschwung:* Auf den Rücken legen, die Hände aufs Becken legen und den Atem dorthin lenken. Beim Einatmen beide Beine gestreckt nach oben heben. Beim Ausatmen beide Beine wieder zu Boden senken.

2. Phase: Tanzübungen

- *Bauchtanz:* Locker in die Knie gehen, als ob man sich hinsetzen wollte. Die Beine sind leicht gegrätscht, die Füße parallel, die Knie gebeugt. Beim Einatmen ins Hohlkreuz gehen, den Po nach hinten strecken, beim Ausatmen das Becken mit Schwung und Kraft nach vorne kippen. Im eigenen schnellen Atemrhythmus tanzen, durch die Nase atmen.

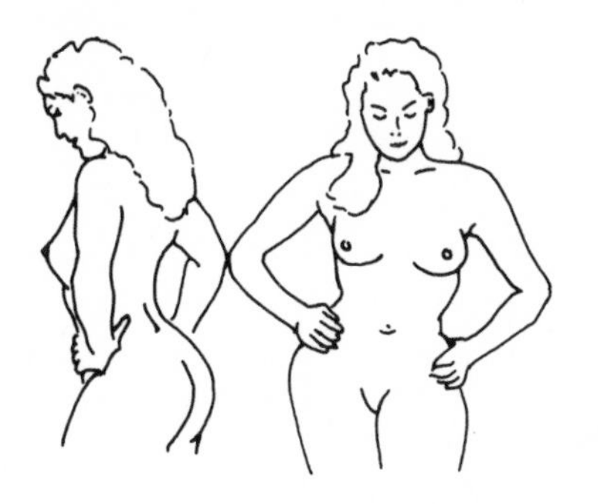

- *Affengang:* Die Knie beugen, den Oberkörper auf die Oberschenkel fallen lassen. Wie ein Affe nach vorn, hinten oder zur Seite gehen, die Arme hängen lassen, beim Einatmen etwas aufrichten, beim Ausatmen den Oberkörper mit Schwung wieder auf die Oberschenkel fallen lassen.

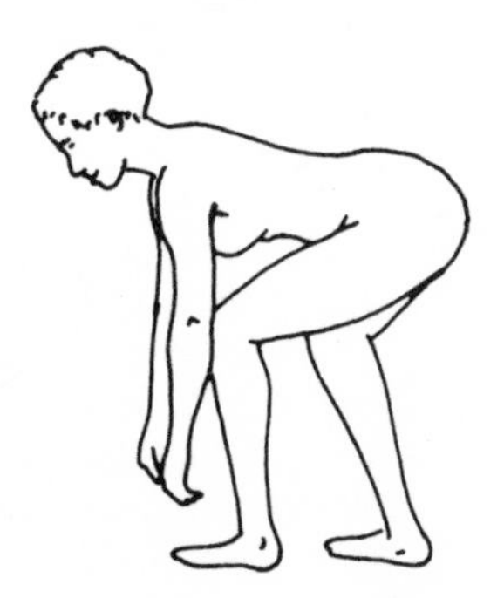

3. Phase: Entspannung

Damit wird der Yoga-Zyklus beendet: Zusammengekuschelt hinlegen, die Beine anziehen. Die Beckenregion muß warmgehalten werden, um die Energie strömen zu lassen; dazu empfiehlt es sich, sich in eine warme Decke zu hüllen. Abschließend kann man noch eine Tasse heißen Kräutertee trinken.

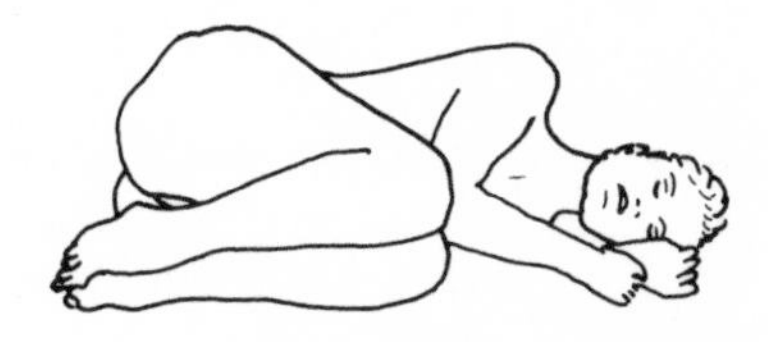

Alle Übungen können allein oder in Gruppen gemacht werden. Sinnvoll und hilfreich ist es, einen Kurs zu besuchen, bei dem die Körperstellungen, die Atmung und die Bewegung korrigiert werden.

5. Akupressur

Akupressur ist das europäische Wort für Fingerdruckmassage Zhi-Ya (Fingerdruck) oder Tui-Na (Schieben-Heben). In Japan ist diese Methode als Shiatsu bekannt. Sie wirkt durch Fingerdruck und massierendes Reiben oder Zupfen über bestimmte Punkte des Körpers. Bis heute wurden über 670 solcher Punkte entdeckt. Im Gegensatz zur Akupunktur, bei der die Punkte mit Nadeln stimuliert werden und die gründliche Kenntnis der chinesischen Medizin sowie eine lange Ausbildung und viel Erfahrung voraussetzt, kann Akupressur auch vom Laien erlernt und ausgeführt werden.
Der chinesischen Medizin zufolge, die von einer Einheit des Körpers ausgeht, ist die Abwehrkraft während der Menstruation geschwächt, seelische Ein-

flüsse, Wetterwechsel oder andere Umstände können den Organismus stören. Qi (die vitale Energie) und Xue (das Blut) können blockiert werden und dadurch verschiedene Beschwerden verursachen.
Folgende Möglichkeiten gibt es, Menstruationsbeschwerden mit Akupressur zu behandeln (zitiert nach Dr. Yu Ho-Fang, Akupressur, Moewig Verlag):

- *Der Mingmen-Punkt:*

  Der Mingmen-Punkt („Lebenstor") liegt auf der Wirbelsäule, genau gegenüber dem Bauchnabel. Mit der Daumenseite der Faust über den Punkt unter sanftem Druck auf- und abreiben. Übung 24mal wiederholen.

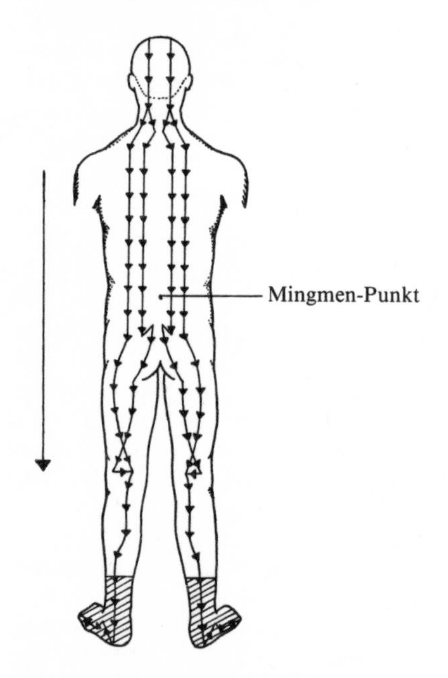

Blasenmeridian und Mingmen-Punkt
Quelle: Dr. med. Ulf Böhmig, Naturheilpraxis für zu Hause, Verlag Orac, Wien 1988,
Grafik: Gerti Gnan

- *Der Blasenmeridian:*

  Massage über den Blasenmeridian beiderseits der Wirbelsäule. Die Handflächen aneinander warmreiben und auf den Rücken legen, unterhalb der Taille, Fingerspitzen nach unten. Über den Bereich der Taille bis aufs Gesäß reiben, beiderseits der Wirbelsäule auf und ab. Übung 36mal wiederholen.

- *Massage der Bauchdecke:*

  Mit der Handfläche über die Bauchdecke reiben, den Bauchnabel im Uhrzeigersinn umkreisen. Übung 36mal wiederholen.

6. Mit anderen über sich selbst reden.

Andere Meinungen und Erfahrungen hören, z.B. in einer Frauengruppe (Adressen siehe Anhang).
Es kann sehr helfen, mit Frauen über Gefühle, die eigene Einstellung zu Körper und Gesundheit, aber auch über die Erfahrungen mit der Regel oder mit Wechselproblemen zu sprechen. Solche Gespräche sind eine Bereicherung und können zur Lösung eigener Probleme beitragen.

7. Psychotherapie

Vor allem bei gravierenden Beschwerden kann es sinnvoll sein, die Probleme mit der Menstruation mit einem Therapeuten oder in einer Therapiegruppe aufzuarbeiten.
Psychotherapie ist eine Hilfe zur Selbsthilfe. Die verschiedenen psychotherapeutischen Verfahren beruhen auf der Annahme, daß vieles, was in uns vorgeht, uns nicht bewußt ist. Dieses Unbewußte beeinflußt unser Handeln und unsere Gefühle. In einer Therapie soll nun dieses Unbewußte aufgedeckt werden. Bei Regelstörungen

haben sich folgende Therapieformen als nützlich erwiesen:*)

Körperorientierte Psychotherapien:

Es gibt vier verschiedene Verfahren: Orgontherapie, Bioenergetik, Biodynamische Körpertherapie und Hakomi. Alle vier erfordern einen großen Aufwand an Zeit, Engagement und auch an finanziellen Mitteln. Sie stoßen über den Körper in sehr tiefe seelische Bereiche vor und fördern daher — bei entsprechender Eigenbeteiligung — eine grundlegende Selbsterfahrung, Heilung und persönliches Wachstum.
Für Bioenergetik, Hakomi und Biodynamische Psychotherapie gibt es meist Einführungsveranstaltungen (Wochenend-Workshops). Für die Orgontherapie gibt es keinen entsprechenden Probelauf.

- „Orgontherapie" (Reichsche Körpertherapie oder auch Vegotherapie nach Reich)
  Dies ist eine körperorientierte Psychoanalyse, die länger als drei Jahre dauern kann. Nach seinem Lehrer Sigmund Freud, erweiterte Wilhelm Reich (1897—1957), den man als Urvater der allermeisten im Westen entstandenen Körpertherapien bezeichnen kann, den geisteswissenschaftlich-psychologischen Ansatz Freuds um eine entscheidende Dimension. Er formulierte, daß seelische Störungen eine Entsprechung im Körper hätten. Sein theoretisches Konzept geht davon aus, daß unterdrückte Gefühle in körperlichen Verspannungen („Muskelpanzer"), die sich in der Kindheit entwickeln, zurückgehalten werden. In der Therapie werden diese Gefühle durch Lösung der chronischen Panzerung befreit und damit erlebbar. Ziel ist das freie Fließen der Lebensenergie durch den Körper. Diese Methode wird hauptsächlich in Einzeltherapie angewandt. Der Therapeut beobachtet, gibt Anregungen zu verstärktem Ausdruck und fördert diesen durch Druck auf die verspannte Muskulatur. Da oftmals heftige Gefühle und auch Kindheitserinnerungen auftauchen, werden diese sodann bearbeitet.

  Eine Körpertherapie-Sitzung nach Reich dauert in der Regel 50 Minuten und wird einmal wöchentlich (unter Umständen auch öfter) durchgeführt. Dauer der Gesamttherapie: 2 bis 4 Jahre.

- „Bioenergetik" (Bioenergetische Analyse)
  Dieser Ansatz wurde von Alexander Lowen, einem Schüler W. Reichs, entwickelt. Die Grundannahmen, wie die zentrale Rolle der Atmung und die funktionelle Identität von Körper und Seele, wurden aus dem Reichschen Konzept übernommen. Er erweiterte sie u.a. durch verstärkten Einsatz von speziellen Übungen (z.B. „Streßpositionen"), um Verspannungen deutlicher zu erkennen und blockierte Energie in Fluß zu bringen. Der Therapeut fördert außerdem die Wahrnehmung und Äußerung von Gefühlen, z.B. durch stimmlichen Ausdruck oder durch Schlagen auf die Matte.

  Die Therapie dauert ein bis zwei Jahre. Eine Einzelsitzung dauert ein bis zwei Stunden. Eine Grup-

*) *Nach: Springer-Kremser, Eder, Kemeter, Forschungsbericht über Psychohygienische Maßnahmen bei Menstruationsbeschwerden, Wien 1983.*

pensitzung zwei bis drei Stunden. Ein Workshop erstreckt sich über zwei Tage und mehr.

- „Biodynamische Psychotherapie" (Biodynamik)
  Die Norwegerin Gerda Boyesen ist die Begründerin dieser Körpertherapieform. Sie fügte dem Reichschen Konzept der Muskelpanzerung das Konzept der Gewebspanzerung hinzu. Durch diese Panzerung können in den Körperflüssigkeiten gelöste Hormone und Überträgersubstanzen nicht frei strömen, wodurch es zu Störungen kommt.

  In der Therapie werden körperliche Übungen wie in der Bioenergetik (siehe weiter oben), Gespräche und die Wahrnehmung und Verstärkung von Impulsen der Klientin durchgeführt. Besondere Bedeutung kommt der biodynamischen Massage zu, die die „Verdauung" von Emotionen unterstützt.

  Die Dauer einer Sitzung beträgt ein- bis eineinhalb Stunden. Wie lange die ganze Therapie dauert, hängt von den Symptomen der Frau ab.

- „Hakomi"
  Hakomi ist ein Wort aus der Sprache der Hopi-Indianer und heißt: „Wer bist du?" Die Hakomi-Psychotherapie beschreibt man am besten als einen Bewußtseinsprozeß. Die Klientin lernt unter Anleitung des Therapeuten, sich selbst zu beobachten — ohne sich zu beurteilen. Sie erhält dadurch Einsicht in ihre selbstverständlichen Gewohnheiten, versteht deren Absicht und Sinn, gewinnt dadurch eine Übersicht und damit die Möglichkeit zur Veränderung.
  Die Dauer der Therapie wird mit dem Hakomi-Therapeuten bei Beginn abgesprochen.

Ausführliche Literaturhinweise zu den besprochenen Körperorientierten Psychotherapien sind im Anhang angeführt.

Fokussierende Beratung

Unter fokussierender Beratung versteht man eine Kurztherapieform (10 bis 20 Sitzungen). Diese Therapieform ist eine tiefenpsychologisch begründete Methode, welche nach Abgrenzung eines Konfliktherdes (z.B. „Regelschmerzen"), dem Fokus, diesen zum Zentrum der psychotherapeutischen Intervention macht. Durch das vom Therapeuten unterstützte In-sich-Hineinhören und Verbalisieren der inneren Gefühle, Empfindungen und Gedanken wird auch eine körperlich spürbare Erleichterung erreicht.

8. Ernährung, Kräutertees und andere Hausmittel

Als Vorbeugung in den letzten Tagen vor der Regel ist es gut, den Salzverbrauch zu reduzieren und viel Vitamin-B-reiche (Vollkornbrot, Müsli) und kalziumhältige (Milch und Milchprodukte) Nahrungsmittel zu essen. Kalzium ist das wichtigste Element für den Knochenaufbau und spielt auch bei der Blutgerinnung eine Rolle.

Karotten sind reich an Vitamin A, B und C sowie an zahlreichen Mineralien und haben neben vielen anderen Eigenschaften auch noch jene, das Blut der Menstruation flüssiger und weniger schmerzhaft zu machen. In der Woche vor der Menstruation täglich jeden Morgen ein Glas Karottensaft zu trinken, kann die Menstruation daher erleichtern.

Wärme bringt Erleichterung

Eine Wärmeflasche auf Bauch oder Rücken zu legen, lindert die Schmerzen, ein warmer Wickel ebenfalls: Den Wickel mit erhitztem Meersalz in einen Umschlag (Mull, Baumwolle oder dünnes Leinentuch) geben und aufs Kreuzbein legen.

Schmerzlindernde Kräutertees

- Schafgarbe (Achillea millefolium): 30 g in 1 Liter kochendes Wasser geben, 10 Minuten ziehen lassen. 3 Tassen pro Tag trinken.
- Kamille (Chamomilla): Pro Tasse 1 Eßlöffel Kamille verwenden, in kochendes Wasser geben, 10 Minuten ziehen lassen. 3 Tassen pro Tag trinken.
- Ein in gleicher Weise zubereiteter Tee aus Majoran, Gänsefingerkraut oder Melisse kann ebenfalls hilfreich sein.

Noch drei Hausmittel

- Der Kneippsche Heusack: Ein Leinensäckchen mit Heublumen füllen, im Dampfbad erwärmen oder mit kochendem Wasser übergießen, ausgedrückt und so warm wie möglich auf den Unterleib legen. Heublumenkompressen gibt es auch in der Apotheke zu kaufen.
- Kamillensitzbad: Eine Handvoll getrockneter Kamillenblüten pro Liter Wasser verwenden. Kamillen im Wasser zum Kochen bringen. Abkühlen lassen auf ungefähr 35 bis 37 Grad. Dauer des Sitzbades: 10 bis 20 Minuten.
- Bei sehr starken Krämpfen kann auch Alkohol (ein Glas Schnaps oder Likör) Erleichterung bringen. Alkohol hemmt die Gebärmutterkontraktionen (Vorsicht wegen Gewöhnung bzw. Alkoholsucht!).

9. Homöopathie

Bei einer Behandlung mit homöopathischen Präparaten ist außer einer eingehenden Untersuchung auch eine genaue Bestimmung der Begleitumstände (körperliche und seelische Verfassung, chronische Krankheiten usw.) notwendig. Erst dann wird die individuelle Dosierung, Konzentration und Art des Medikaments festgelegt. Homöopathische Arzneien sind stark verdünnte (potenzierte) Substanzen aus pflanzlichen, tierischen und mineralischen Stoffen.
Es gibt viele verschiedene homöopathische Mittel für den Problemkreis „Regelschmerz", doch ist ihre Verwendung nur dann erfolgreich, wenn sie ein Fachmann oder eine Fachfrau mit viel Erfahrung nach den erwähnten genauen Untersuchungen der Frau verschreibt.

10. Medikamente

Das Angebot an Medikamenten zur Hilfe bei Regelbeschwerden ist groß: Schmerzmittel, krampflösende Medikamente (Spasmolytika) und Hormonpräparate.
Schmerzstillende Mittel (auf Acetylsalicylsäurebasis) sind auf jeden Fall Hormonpräparaten vorzuziehen, da sie nicht in den Zyklus eingreifen. Sie wirken als sogenannte Prostaglandinhemmer. (Prostaglandine sind die wehenauslösenden Hormone — siehe auch Zyklus, Seite 21 f.). Werden sie im nachhinein (bei Regeleintritt, beim Auftreten von Schmerzen) genommen, haben sie keine Wirkung. Sie können auch die Blutung verstärken. Nebenwirkungen wie Blutgerinnungsstörungen und Magenbluten können auftreten. Daher sollten auch diese Mittel nicht ohne vorherige Absprache mit dem Arzt oder der Ärztin genommen werden.

Monatshygiene

Binden und Tampons sind noch gar nicht so alt. Noch Anfang dieses Jahrhunderts verwendeten die Frauen Tücher, die sie immer wieder wuschen, um das Blut aufzufangen. Erst in den 20er Jahren kamen die ersten Wegwerfbinden auf den Markt. Öffentlich beworben wurden sie erst in den 30er Jahren. Zu dieser Zeit wurden in den USA die ersten Tampons verkauft. Dieser „unsichtbare" Monatsschutz kam erst in den 50er Jahren nach Europa.

Binden oder Tampons?

Heutzutage kann man bei Binden zwischen allen möglichen Breiten, Längen und Stärken wählen: normal, flach, dünn, supermini... mit einer Polyäthylenauflage an der Unterseite und einem Haftstreifen — oder auch mit einer Duftnote. Letztere ist, und da sind sich Ärzte und Hygieniker einig, nicht nötig. Mehrmaliges tägliches Wechseln der Binden und Waschen des Vulvabereiches reichen völlig.
Die Nachteile von *Binden* sind:

- die Größe — man kann sie schwer in einer kleinen Handtasche unterbringen;
- die Beseitigung — Binden gehören nicht ins WC, können Abflußrohre verstopfen und die Folien verursachen in den Kläranlagen Beseitigungsprobleme.

Tampons können von Mädchen und Frauen aller Altersstufen getragen werden. Auch wenn sie noch keinen Geschlechtsverkehr hatten. Das Jungfernhäutchen oder Hymen ist normalerweise dehnbar genug, damit ein Tampon eingeführt werden kann. Das richtige Einführen des Tampons ist Übungssache — Hinweise gibt es im Beipacktext. Grundsätzlich ist eine entspannte Stellung (ein hochgestelltes Bein, hocken ...) hilfreich. Beim Tragen spürt man das Tampon, falls es richtig eingeführt ist, kaum.
Von einem Tampon wird das Blut schon in der Scheide aufgefangen. Ist es vollgesaugt, kann das Blut durchtropfen. Tampons sollen alle 4 bis 6 Stunden gewechselt werden. Ein Tampon, das zu lange in der Scheide liegt, ist ein idealer Nährboden für Bakterien. Außerdem können Tampons Keime von außen in die Scheide bringen.
Es ist daher zu empfehlen, nachts Binden zu verwenden, um eine Regeneration der Vagina zu ermöglichen — die Keime können mit dem Blut wieder ausgeschwemmt werden. Auch können Tampons eine Austrocknung der Scheidenhaut bewirken. Rötungen, Entzündungen können die Folge sein. Diese Austrocknung ist vor allem dann möglich, wenn ein saugstarkes Tampon in den letzten Periodentagen verwendet wird und das Tampon dann nicht nur Blut, sondern auch die Flüssigkeit der Umgebung aufsaugt.
Bei Herpes, Entzündungen und nach operativen Eingriffen sowie nach Geburten dürfen keine Tampons verwendet werden.

Slipeinlagen

Die tägliche Slipeinlage mit Frischeduft kann einen Pilzbefall im Scheidenbereich begünstigen, da es durch die Plastikfolie zu einem Feuchtigkeitsstau kommt und so das ideale Klima für Pilze gegeben ist. Daher ist davon abzuraten.

Die Wechseljahre

Als Menopause bezeichnet man die letzte Regelblutung. Alles andere ist entweder Prämenopause (vor der Menopause) oder Perimenopause (das Drumherum um die letzte Regel) oder Postmenopause (der erste Zeitraum nach der Menopause). Der ganze Zeitraum danach wird Klimakterium genannt.

Im allgemeinen tritt die Menopause im fünften, oft erst im sechsten Lebensjahrzehnt ein.

Vor dem endgültigen Verschwinden der Menstruation findet mehrere Jahre lang eine große hormonelle Veränderung im Körper statt. Die Eierstöcke geben immer weniger Östrogen und Gestagen ab. Diese Anpassung an den neuen Hormonhaushalt erfolgt oft mit recht unangenehmen Begleiterscheinungen:

- unregelmäßige Menstruation: verkürzter oder verlängerter Zyklus; die Blutungen sind stärker oder schwächer.
- Hitzewallungen, Schweißausbrüche
- Stimmungsschwankungen, Schlaflosigkeit, Angstzustände, Depressionen
- Spannungsgefühle in der Brust
- Kreislaufstörungen: Probleme mit Venen, Krämpfe in den Beinen
- Probleme mit den Knochen und Knorpeln (Kalziummangel), Abnutzung der Bandscheiben, die Gelenke werden weniger beweglich.
- Brüchige Nägel, trockene Haut
- Verringerung der Elastizität und der Feuchtigkeit der Scheide.

Die Hormonumstellung kann aber auch z.B. Gebärmuttergeschwülste (Myome) bewirken. Auch steigt die Krebshäufigkeit in den Wechseljahren (siehe Krebs, Seite 64f.). Um rechtzeitig eingreifen zu können, ist es sehr wichtig, in dieser Zeit regelmäßig genaue Untersuchungen (Abstrich, vaginaler Ultraschall, siehe Seite 116) beim Gynäkologen durchführen zu lassen.

Neben körperlichen Ursachen sind aber auch psychische Gründe für *Wechselbeschwerden* verantwortlich: Angst vor dem Älterwerden, vor dem Alleinsein, Schwierigkeiten mit der sozialen Rolle, mit dem Selbstwertgefühl („Ich bin ja keine vollständige Frau mehr“) usw.

Trotzdem gibt es viele Frauen, die froh sind, daß das monatliche Unwohlsein vorbei ist. Sie fühlen sich richtig befreit und können die Sexualität jetzt viel genußvoller erleben als vorher.

Scheidensenkung (Descensus Vaginae)

Ursachen für eine Senkung können angeborene Bindegewebsschwäche, Risse im Muskel- und Bindegewebe — entstanden durch Geburten — oder auch altersbedingtes Erschlaffen des Bindegewebes und der Muskulatur sein.

Vorbeugung:

Training des Beckenbodens (ähnlich

der Wochenbettgymnastik nach einer Geburt).
Übung: rhythmisches Zusammenziehen und Entspannen des Beckenbodens und der Scheidenmuskulatur (so wie z.B. beim Zurückhalten vor dem Stuhlgang).
Auch spezielle Yogaübungen (siehe Seite 29) sind zur Stärkung der Muskulatur geeignet.

Symptome:

Druck auf den Unterleib, ständiger Drang zum Wasserlassen, Kreuzschmerzen, Schmerzen beim Verkehr, manchmal auch Schwierigkeiten, den Stuhl zu halten.

Behandlung:

Oft verordnen Gynäkologen nach Diagnose einer Senkung radikale Operationen bis zu einer Totaloperation (Entfernung der Gebärmutter und Adnexe). Frauen sollen in so einem Fall — wie bei allen anderen radikalen Eingriffen — lieber mehrere Gynäkologen aufsuchen und deren Meinung hören.

Es gibt mehrere Behandlungsmöglichkeiten:

- Beckenbodengymnastik kann Erleichterung bringen (siehe Vorbeugung).
- In einigen Fällen ist auch eine physikalische Therapie angebracht, die ebenso wie die Gymnastik die Muskulatur stärken soll.
- Als letzter Ausweg ist eine plastische Operation (Scheidenplastik) möglich. Bei diesem Eingriff werden Gebärmutter und eventuell auch die Blase wieder straffer verankert, und die Scheide wird enger gemacht. Es kann vorkommen, daß nach der Operation die Scheide zu eng ist und kein Geschlechtsverkehr mehr möglich ist.
Eine Entfernung der Gebärmutter ist dabei nicht unbedingt notwendig.

Gebärmuttersenkung und Gebärmuttervorfall (Prolapsus uteri)

Wenn die Gebärmutter soweit gesunken ist, daß man sie in der Scheidenöffnung sehen kann, spricht man von einem Gebärmuttervorfall. Es sinkt auch die Harnblase mit, daher ist es für die Frau schwierig, den Harn zu halten.

Vorbeugung:

Siehe Scheidensenkung

Symptome:

Beim Husten, Niesen, Laufen, Lachen kommt es zu Harnverlust. Da die Blase wegen der Senkung nicht ganz geleert werden kann, kann es zu einer Blasenentzündung kommen. Die Frau verspürt dann ständig den Drang, Wasser zu lassen. Es kommen dann jedesmal nur ein paar Tropfen, die ein starkes Brennen verursachen. Auch Fieber kann auftreten.

Behandlung:

- Ringförmige Stützpessare, die vom Gynäkologen zunächst angepaßt werden, können der Frau die Beschwerden nehmen. Die Pessare können in der Nacht von der Frau herausgenommen und am Morgen wieder eingesetzt werden.
- Ist eine Operation notwendig, so wird wie bei der Scheidensenkung eine „Scheidenplastik" gemacht und die Gebärmutter entfernt.

Fünf Möglichkeiten zur Behandlung von Wechselbeschwerden

1. Mit anderen Frauen sprechen

Der Erfahrungsaustausch mit Frauen, z.B. in einer Selbsthilfegruppe, kann in dieser Lebensphase sehr wichtig sein. Durch Gespräche und gegenseitige Unterstützung lernen die Frauen mit den Unannehmlichkeiten dieser Zeit umgehen und werden besser damit fertig (Adressen von Frauengruppen: siehe Anhang).

2. Ernährung

Eiweißreiche Kost, die reich ist an Mineralien und Vitaminen, v.a. an Vitamin D, stärkt den Organismus und macht ihn widerstandsfähiger. Vollwertkost, viel frisches Gemüse und Obst sind ideale Lebensmittel für diese Zeit.

3. Heilpflanzen

Melisse (Melissa officinalis)

Eigenschaften: krampflösend, stärkend, anregend.
Indikationen: Migräne, schmerzhafte Menstruation, Krämpfe, Neuralgie.
Anwendung: 1 Teelöffel pro Tasse in kochendes Wasser geben, 10 Minuten ziehen lassen. 3 Tassen pro Tag trinken.

Salbei (Salvia officinalis)

Eigenschaften: allgemein stärkend, harntreibend, Mittel gegen Schwitzen.
Indikationen: u.a. Störungen in den Wechseljahren.
Anwendung: Eine Handvoll trockener Blüten und Blätter in 1 Liter kochendes Wasser geben. 10 Minuten ziehen lassen. 1 Tasse vor dem Schlafengehen gegen Schlaflosigkeit, Angstgefühle und kalten Schweiß trinken.

Zypresse (Cypressus)

Eigenschaften: wirkt beruhigend auf das Nervensystem, krampflösend, gefäßverengend, stärkt die Venen, vermindert die Schweißabsonderung.
Indikationen: Hämorrhoiden, Krampfadern, Wechselbeschwerden, Rheuma etc.
Anwendung: Absud oder Aufguß aus dem Holz gegen Erkrankungen der Gebärmutter und des Mastdarms. Ein streichholzschachtelgroßes Stück frisches und halbtrockenes Holz zerstoßen und in 1 Liter Wasser zum Kochen bringen oder mit kochendem Wasser übergießen. 10 Minuten ziehen lassen. 2 bis 3 Tassen täglich von dem Sud trinken.
Absud oder Aufguß aus Zweigen gegen Hämorrhoiden:
Einen grünen Zweig zerhacken, in 1 Liter Wasser zum Kochen bringen oder mit kochendem Wasser übergießen, 10 Minuten ziehen lassen. 2 Tassen täglich von dem Sud trinken.

Weißdorn (Crataegus oxycantha)

Eigenschaften: herzstärkend, krampflösend, blutstillend.
Indikationen: u.a. auch Schlafstörungen in den Wechseljahren.
Anwendung: 1 Teelöffel Blüten und Butten mit kochendem Wasser übergießen, 10 Minuten ziehen lassen. 2 bis 3 Tassen pro Tag trinken.

4. Hormonbehandlung mit Östrogen- oder Gestagen-Injektionen bzw. Tabletten.

Die Hormonbehandlung in den Wechseljahren ist immer wieder Gegenstand heftiger Diskussionen.
Östrogen bzw. Gestagen sollen das Defizit an Hormonen ausgleichen, da

in den Wechseljahren immer weniger davon im weiblichen Körper produziert wird. Wie sinnvoll dieser künstliche Nachschub ist, darüber gibt es unterschiedliche Auffassungen. Auf der einen Seite ist das allmähliche Ausbleiben des Regelzyklus eine natürliche Angelegenheit, und der Körper kann auch ohne Hilfe damit fertigwerden.

Auf der anderen Seite werden durch Hormonpräparate manche unangenehme Begleiterscheinungen gemildert. Die Hormongaben sind individuell vom Arzt bzw. von der Ärztin festzulegen.

Grundsätzlich sollten Hormone (Östrogene und Gestagene) jedoch zyklisch verabreicht werden, d.h. ähnlich wie im Menstruationszyklus. Es gibt heute Hinweise, daß dadurch Krebserkrankungen vorgebeugt werden kann (Eierstock, Gebärmutter- und auch Brustkrebs). Bis vor wenigen Jahren gab man Östrogen allein; das war eher krebsfördernd und brachte die Hormonbehandlung teilweise in Verruf. Auch gibt es jetzt bereits sehr niedrig dosierte „zyklische" Präparate, die sehr gut vertragen werden und — regelmäßig eingenommen — allgemein den Alterserscheinungen der Frau vorbeugen (Nachteil jedoch: Fortdauer monatlicher „Abbruchblutungen", die erst nach und nach schwächer werden).

Kontraindikationen für Hormongaben:

Schwere Lebererkrankungen, Erkrankungen der Galle, hoher Blutdruck, Gefäßleiden, Neigung zu Venenthrombosen, schon vorhandene Tumore.

Osteoporose (Knochenbrüchigkeit) und Hormonbehandlung

Da der Einbau von Kalzium in den Knochen hormongesteuert ist — die weiblichen Geschlechtshormone unterstützen diesen Einbau — kann es in den Wechseljahren durch den Wegfall dieser Hormone zu einer erhöhten Knochenbrüchigkeit (Osteoporose) kommen. Durch Hormonbehandlung läßt sich diese Knochenbrüchigkeit verhindern. Risikogruppen sind Frauen mit schlankem, grazilem Körperbau und Frauen, die vorzeitig die Eierstöcke verloren haben. Mangelnde Aufnahme von Kalzium, einseitige Ernährung, Bewegungsarmut erhöhen ebenfalls das Risiko der Osteoporose. Daher ist die beste Vorbeugung gegen Osteoporose ausgewogene Ernährung und körperliche Fitness.

Osteoporose kann medikamentös mit niedrig dosierten Östrogen- und Gestagen-Hormonpräparaten und Tabletten behandelt werden.

Eine Hormonbehandlung in den Wechseljahren muß jedoch nicht sein. Es gibt viele Frauen, die diese Zeit auch ohne Hormonpräparate gut überstehen. Gesunde Ernährung, gesunde Lebensweise, aktive Lebensgestaltung und eine bewußte seelische und geistige Auseinandersetzung mit den auftauchenden Problemen können dabei sehr hilfreich sein.

5. Medikamente

Schmerz- und Beruhigungsmittel

Schmerzmittel auf Acetylsalicylsäurebasis (andere Wirkstoffe mit ähnlicher Wirkung: Ibuprophen, Naproxen und Indomethacin) werden für eine symptomatische Therapie bei Wechselbeschwerden eingesetzt. Das heißt, die Symptome, nicht die Ursache wird behandelt. Eine Rücksprache mit dem Arzt oder der Ärztin ist unbedingt erforderlich. Auch sind die Nebenwirkungen von Schmerzmitteln zu beachten: von Blutgerinnungsstörungen bis zu Magenblutungen!

Beruhigungsmittel (Sedativa, Tranquilizer) wirken beruhigend und muskelentspannend. Es sind leichte Psychopharmaka (Arzneimittel für das Gehirn!).

In der Bundesrepublik werden pro Jahr etwa 1 Milliarde Beruhigungstabletten geschluckt.

Die Wirkung dieser Mittel wird im Medikamentenverzeichnis des dänischen Ärztebundes von 1975 folgendermaßen beschrieben*): „Psychopharmaka. Wirken nur symptombeseitigend, dämpfen die Angst, machen schlapp, entspannen eventuell die Muskeln. Sollen nur als Hilfsmittel für eine reguläre Behandlung der Ursache der Belastungssituation des Patienten betrachtet werden. Eine scharfe Kontrolle des Verbrauchs ist notwendig, ebenso wie eine zeitliche Begrenzung in den meisten Fällen, weswegen das Rezept nur mit Vorsicht erneuert werden soll. Die Fähigkeit, ein Fahrzeug ordnungsgemäß zu führen, kann entscheidend beeinträchtigt werden. Im Zusammenwirken mit Alkohol ist die ermüdende und bewußtseinsdämpfende Wirkung besonders stark."

Schlafmittel

Schlaf ist der natürliche Erholungsvorgang des Körpers. Mit zunehmendem Alter kommt es häufiger zu nächtlichem Aufwachen. Das ist natürlich und nicht krankhaft!

Echte Schlafstörungen haben meist psychische Ursachen. Es gibt Schlafmittel auf pflanzlicher Basis, die Baldrian und oder Hopfen enthalten, und chemische Schlafmittel, die vor allem aus Benzodiazepinen oder Barbituraten bestehen.

Je stärker die Wirkung, um so größer auch die Gefahren, die von ihnen ausgehen: Abhängigkeit, Benommenheit, Beeinträchtigung des Wohlbefindens, Hautveränderungen, Störungen beim Wasserlassen, Mundtrockenheit, gefährliche Wechselwirkung bei gleichzeitigem Genuß von Alkohol.

Medikamente diesen Kalibers sollten nur in Ausnahmefällen eingenommen werden. Sie sind keine dauerhaften Problemlöser. Vor einer ständigen Einnahme von Beruhigungs- und Schlafmitteln ist in jedem Fall abzuraten.

Östrogensalben

Die lokale äußerliche Anwendung von Östrogensalben lindert die Austrocknung von Schamlippen und Scheide. Diese Austrocknung wird durch die Hormonumstellung im Körper verursacht und bereitet manchen Frauen Beschwerden.

**) Zitat aus: Handbuch 1 Frau, „Sexualität", Frauenbuchverlag, 1989*

Entzündungen, Infektionen und Geschwülste

Ausfluß (Fluor vaginalis)

Die Flüssigkeitsabsonderung aus der Scheide ist nicht immer Zeichen einer Krankheit. Durch die Scheidenwand wird immer Flüssigkeit abgesondert. Bei seelischer und körperlicher Überlastung kann diese Absonderung stärker werden, so daß es zum Ausfluß kommt.
Bei der Beurteilung von Ausfluß muß man weniger die Menge der abgesonderten Flüssigkeit beachten als ihre Beschaffenheit:

Ist der Ausfluß nicht mehr milchig weiß, sondern gelb, grün, braun, blutfarben oder schaumig, tritt intensiver oder unangenehmer Geruch auf, und verspürt die Frau Beschwerden wie Jucken, Wundsein, Brennen der Scheide und der Schamlippen, liegt meist eine Scheidenentzündung vor. Sie kann durch Bakterien, Pilze, Trichomonaden oder Chlamydien (bakterienähnliche Parasiten) hervorgerufen sein.
Die Infektionen verschwinden nicht von allein, und manche können beim Geschlechtsverkehr übertragen werden.

Sexuell übertragbare Krankheiten (Trichomonaden, Candida, Pilzinfektionen usw.) kann man sich bei vielen Gelegenheiten (im Schwimmbad, in der Sauna usw.) holen, u.a. aber auch vom Partner übertragen bekommen.
Geschlechtskrankheiten (Syphilis, Gonorrhoe, Ulcus molle) kann man sich *nur* durch den Geschlechtsverkehr mit einem bereits Erkrankten holen.

Wichtig zu wissen:

Die Scheide ist immer von vielen Keimen besiedelt. Im Idealfall überwiegen die sogenannten Döderleinbakterien. Die von ihnen produzierte Milchsäure hält die Flüssigkeit der Scheide konstant im sauren Bereich. Wird dieses Gleichgewicht gestört und der Säuregehalt vermindert, können Entzündungen und Ausfluß die Folge sein.
Gründe für eine Störung dieses Gleichgewichts können z.B. sein:

- Einnahme von Medikamenten (Antibiotika, Pille)
- Verwendung von Intimsprays und hygienischen Scheidenspülungen
- Langzeiteinnahme von Zytostatika, Cortisonpräparaten
- aber auch: Streß, Schlafmangel, psychischer Druck

Trichomonaden

Trichomonaden sind einzellige Lebewesen (genannt Protozoen). Sie können sich mit Hilfe ihrer Flimmerhärchen fortbewegen und vermehren sich im sauren Milieu.

Symptome:

Juckreiz und Entzündung der Scheide und des Vaginaleingangs; Brennen

beim Wasserlassen; übelriechender, schaumiger, gelblicher Ausfluß.
Trichomonaden können durch feuchte Textilien (Badeanzüge, Handtücher, Unterwäsche), aber auch über Klobrillen, im Schwimmbad, in der Badewanne sowie durch sexuelle Kontakte übertragen werden.

Behandlung:

Obwohl beim Mann häufig keine oder nur geringe Beschwerden auftreten, muß er gleichzeitig mitbehandelt werden, um eine neuerliche Erkrankung der Frau zu verhindern („Ping-Pong"-Infektion).
Eine Tablettenkur (6 Tabletten pro Partner) mit Metronidazol ist die übliche Behandlungsform.

Alternative Behandlungsmethode:

Eine 10-Tage-Kur mit Knoblauch.
Knoblauch (Allium sativum) wirkt antiseptisch, stoppt und tötet Bakterien und Protozoen ab, wirkt krampflösend und harntreibend.

Anwendung:

Eine Knoblauchzehe wird geschält, aber nicht eingeschnitten, und in die Vagina eingeführt. Während der ersten Tage sollte die Zehe 2—3mal pro Tag gewechselt werden, danach 2mal pro Tag. Da der Knoblauch auch eine bakterienabtötende Wirkung hat, sollten am Ende der Behandlung auch Milchsäurebakterien in die Vagina eingeführt werden. Es gibt in der Apotheke Milchsäurebakterienpräparate als Vaginaltabletten zu kaufen.

Die Alternative für den Mann: Einnahme (3mal täglich) von Knoblauchkapseln (der Knoblauchatem kann durch Lutschen von Kümmel neutralisiert werden) oder von Chlorophylltabletten. Chlorophylltabletten enthalten gefriergetrocknetes Chlorophyll in Kapselform. Sie sind in der Apotheke erhältlich.

Candida (Hefepilze)

Candida ist ein Pilz, dessen Sporen überall zu finden sind (im Bad, in der Wäsche, in den Betten). Er bevorzugt ein feuchtes Milieu und kommt, auch ohne Beschwerden zu verursachen, in der Scheide vor. Hormonelle Schwankungen (Pilleneinnahme, Schwangerschaft) können die Vermehrung begünstigen.
Auch nach langen, hochdosierten Antibiotikagaben oder bei Diabetikerinnen wird das Scheidenmilieu oft so beeinflußt (gestört) sein, daß Pilzinfektionen auftreten können.

Symptome:

Starker Juckreiz der Scheide und des Vaginaleingangs, Brennen, Rötung, Trockenheit der Scheide, Brennen auch beim Wasserlassen, weißer, bröckeliger Ausfluß.

Behandlung:

Meist werden pilztötende Vaginaltabletten oder Salben verschrieben, die mit einem Applikator in die Scheide eingeführt werden. Die Behandlungsdauer ist unterschiedlich und hängt davon ab, wie leicht bzw. schwer die Entzündung ist und welches Mittel angewendet wird. Dauer der Behandlung: 3 bis 14 Tage. Die Mitbehandlung des Partners ist, genauso wie bei Trichomonaden, sinnvoll.

Alternative Behandlungsmethode:

Joghurt

Nicht pasteurisiertes Joghurt enthält Milchsäure und auch Milchsäurebak-

terien. Joghurt auf ein Tampon streichen und einführen oder mit den Fingern in die Scheide einbringen.
Es gibt auch Milchsäurepräparate in der Apotheke zu kaufen.

Essigwasser

Anwendung:
Ein- bis zweimal am Tag ein Essigsitzbad (5—10 Minuten) nehmen. 1—2 Eßlöffel Essig pro Liter lauwarmem Wasser verwenden.
Oder:
Einen Tampon in wie oben verdünnte Essiglösung tauchen und für einige Minuten bis zu einer Stunde die Scheide damit feucht halten.

Aminkolpitis

Bei der Aminkolpitis handelt es sich um eine Erkrankung, die durch das Bakterium Gardnerella vaginalis und Keime hervorgerufen wird, die unter Luftabschluß gedeihen.

Symptome:

Typisch für diese Erkrankung ist ein mehr oder weniger starker, dünnflüssiger Ausfluß mit fischartigem Geruch, der für die Patientin und ihren Partner eine erhebliche Belästigung darstellt.

Behandlung:

Eine Tablettenkur (2mal täglich 1 Tablette während 5 bis 6 Tagen) mit Metronidazol. Obwohl beim Mann häufig keine oder nur geringe Beschwerden auftreten, muß er gleichzeitig mitbehandelt werden, um eine neuerliche Erkrankung der Frau zu verhindern.

Alternative Behandlungsmethode:

Da es auch hier, wie bei Candida oder Trichomonadeninfektion, zur Störung des Scheidenmilieus kommt, ist die alternative Behandlung gleich wie bei den obenerwähnten: Das saure Scheidenmilieu wird entweder durch Milchsäure oder Essigsäure wiederhergestellt. Genaue Anweisung siehe bei „Candida“.

Unspezifische bakterielle Scheidenentzündungen

Von unspezifischen bakteriellen Entzündungen der Scheide spricht man dann, wenn die Infektion weder von einem Pilz noch von Trichonomaden hervorgerufen ist und Keime von Geschlechtskrankheiten (Gonokokken) ausgeschlossen werden können.
Man verzichtet dann auf eine genaue Identifizierung der Bakterien.

Symptome:

Häufiges Wasserlassen mit Brennen, Schmerzen im Kreuz und Krämpfe, geschwollene, druckempfindliche Lymphknoten in der Leistengegend, Scheidenwände geschwollen mit einer Eiterschicht bedeckt, mehr oder weniger starker Juckreiz. Meist gelber oder grüner Ausfluß.

Behandlung:

Tabletten und Cremes auf Tetracyklinbasis (Antibiotika) als Entzündungshemmer.

Alternative Behandlung:

Viele Kräuter haben entzündungshemmende Wirkung. Besonders Kamille ist dafür bekannt. Ebenfalls nützliche Wirkungen werden Rosmarin, Salbei,

Schwarzwurz und Eibisch nachgesagt. Verwendet werden sie als Tees und als Kräuterbäder (Sitzbäder). Auch Bäder mit dem Sud von Latschenkiefern und Lärchen werden empfohlen.

Anwendung:

- Tee:
  1 Eßlöffel Heilkraut in 1 Liter kochendes Wasser geben, 10 Minuten ziehen lassen. 3—4 Tassen am Tag trinken.
- Sitzbad:
  Eine Handvoll Heilkraut pro Liter Wasser verwenden. Heilkraut im Wasser zum Kochen bringen. Auf ca. 35—37 Grad abkühlen lassen. Dauer des Sitzbades: 10—20 Minuten.

Alternative Behandlungsmethode:

Mitarbeiterinnen des Frauengesundheitszentrums Genf empfehlen eine Heilpflanze nordamerikanischer Indianer:
Eine Tinktur aus den Wurzeln der Echinacea (roter Eisenhut). Sie ist in Apotheken erhältlich.

Dosierung:

Beim Auftreten der ersten Anzeichen 25 Tropfen der Tinktur mit ein wenig Wasser alle zwei Stunden einnehmen. Danach während der Krankheitsdauer die gleiche Dosis 4mal am Tag einnehmen. Rechtzeitig eingenommen beugt sie der Krankheit vor oder kann sie zumindest verkürzen.

Herpes

Herpes wird von einem Virus hervorgerufen, dem Herpes simplex, von dem man zwei Typen kennt. Der eine ist für die sogenannten Fieberblasen verantwortlich, der andere für eine Scheiden- oder Vulvainfektion.

Symptome:

Brennen, manchmal geschwollene und schmerzhafte Lymphdrüsen.
Weiße kleine Bläschen, die aufplatzen und zu schmerzhaften Wunden führen. Die Wunden vernarben in ein bis zwei Wochen.

Behandlung:

Polio-Schluckimpfung beugt vor!
Den besten Heilungserfolg erzielt man mit einer Salbe (Virostatikum), die zum frühestmöglichen Zeitpunkt (am besten gleich beim Auftreten der ersten Bläschen) lokal aufgetragen wird.

Feigwarzen (Kondylome)

Feigwarzen werden durch ein Virus hervorgerufen. Sie werden durch Geschlechtsverkehr übertragen.

Symptome:

Wenn sie klein sind, machen sich die Feigwarzen kaum bemerkbar. Sobald sie aber mit bloßem Auge erkennbar sind (als fleischfarbene Kämme), verursachen sie starkes Brennen.

Behandlung:

Auf ärztliche Verschreibung mit Podophylin-Tinktur (Tinktur aus der Essenz der Entenfußpflanze in Benzol) 2mal pro Woche betupfen. Nachspülen mit Ringelblumen- oder Kamillen-Absud.
Ringelblumen-Absud: Eine halbe Handvoll frischer oder getrockneter Blätter in 1 Liter Wasser aufkochen, dann abseihen.
Kamillen-Absud: Eine Handvoll ge-

trockneter Blüten in 1 Liter Wasser aufkochen, dann abseihen.
Eine andere Methode besteht darin, die Feigwarzen mit einer zytostatischen (zellwachstumshemmenden) Salbe zu bestreichen. (Wirkstoff: Fluoruracil).
Feigwarzen lassen sich auch chirurgisch entfernen, und zwar durch Elektrokoagulation (Brennen, Vereisen, Ausschneiden).

Filzläuse

Erreger und Überträger der Filzlauserkrankung ist ein Virus. Es bevorzugt Körperregionen mit höherer Temperatur, was den häufigen Befall der Schamgegend erklärt. Weibliche Läuse kleben ihre Eier (Nissen) an die Haare. Während Läuse nur in geringer Zahl vorkommen, können größere Bezirke mit Nissen befallen sein. Läuse überleben längere Zeit nur bei eingeschränkter äußerer Sauberkeit.

Symptome:

Juckreiz der befallenen Stellen und kleine Blutergüsse.

Behandlung:

Mit insektiziden Tinkturen, Pudern, Shampoos und Cremen oder auch mit Cortisonsalben.

Krätze (Scabies)

Erreger ist die 0,3 mm große Krätzmilbe. Die Milben bohren Gänge parallel zur Hautoberfläche in die Epidermis (Oberhaut) und legen dort die Eier ab. Es entsteht eine entzündliche Reaktion.

Die Übertragung erfolgt meist durch direkten Körperkontakt, aber auch durch z.B. gemeinsam benutzte Bettwäsche.

Symptome:

Heftiger Juckreiz an den befallenen Stellen.

Behandlung:

Mit insektiziden Präparaten ähnlich der Filzläusebehandlung.

Gonorrhoe oder Tripper

Erreger der Gonorrhoe ist ein Bakterium (Neisseria gonorrhoeae oder Gonokokkus).

Symptome:

Frühe Anzeichen beim Mann: Brennen in der Harnröhre, Ausfluß.
Frühe Anzeichen bei der Frau: keine.
Wenn die Infektion sich dann auf die Gebärmutter und die Eileiter ausweitet, kann es zu Schmerzen im Unterbauch und im Rücken kommen.

Behandlung:

Mit Penicillin oder Tetracyclinen (Antibiotika).

Syphilis

Die Syphilis ist eine Infektionskrankheit, bei der über den Blutkreislauf der ganze Körper betroffen wird. Die Infektion kann erblich oder über sexuelle Kontakte erworben sein.

Symptome:

Nach einer Inkubationszeit von 1 bis

12 Wochen tritt zumeist im Genitalbereich ein sogenannter Schanker, das ist der Fleck, der danach zum Geschwür wird, auf. Die austretende Flüssigkeit ist hochgradig ansteckend, weil voller Erreger. Diese Phase dauert einige Wochen und ist mit der lokalen Heilung des Schankers abgeschlossen.
In der 2. Phase kommt es zum Ausbruch der Infektion. Rosafarbene Flecken oder auch rote Ausschläge zeigen sich am ganzen Körper. Auf der Zunge und den Wangeninnenseiten können weißliche Flecken auftreten, an den Genitalien können Wucherungen entstehen. Die Lymphknoten sind vergrößert. Im allgemeinen verheilen diese Erscheinungen spontan, danach hat der Patient zwei, aber manchmal auch zwanzig Jahre lang keine Symptome (Latenzzeit).
In der 3. Phase kann es im Bereich der Hautoberfläche und des Nervensystems zu schwersten Veränderungen kommen, die zu körperlichem und geistigem Verfall und schließlich zum Tod führen.

Behandlung:

In allen Stadien mit Penicillin.

Cervicitis (Entzündung des Muttermundes)

Die Drüsen des Gebärmutterhalskanals sondern ein zyklusabhängiges Sekret ab (siehe Empfängnisverhütung, Seite 84). Eine vermehrte Schleimproduktion muß nicht entzündlich sein und kann viele Ursachen haben (Pille, Streß, Schwangerschaft).

Symptome:

Wenn sich aber der Schleim in seiner Konsistenz ändert, eitrig-gelblich wird oder auch einige blutige Streifen enthält, handelt es sich wahrscheinlich um eine bakterielle Entzündung. Falls eine Cervicitis nicht behandelt wird, kann sie eine aufsteigende Infektion (Endometritis, Eierstockentzündung) mit folgender Sterilität, eine Fehlgeburt oder Schwierigkeiten bei der Entbindung (Eröffnungsphase) hervorrufen.

Behandlung:

Die Cervicitis wird entweder mit Antibiotika behandelt oder es wird ein chirurgischer Eingriff vorgenommen, bei dem das befallene Gewebe zerstört (Kauterisation) oder ein kleines Stück des Gebärmutterhalses entfernt wird (Konisation).

Bartholinische Zyste und Bartholinitis

Die Bartholinischen Drüsen liegen auf beiden Seiten der Vagina, zwischen den kleinen Schamlippen und der Scheidenwand. Ihre Kanäle sind 1—2 cm lang. Mit ihrem Sekret befeuchten sie den Eingang der Vagina.

Symptome:

Durch die Infektion (mit Gonokokken oder Staphylokokken) des Ausführungsganges kommt es zur Verklebung und zum Verschluß des Kanals. Die Folge: Das Sekret der Drüse kann nicht mehr frei abfließen, es staut sich im Gang und wird sekundär infiziert. Ein Abszeß entsteht.

Behandlung:

Die Entzündung wird mit Antibiotika und Schmerzmitteln behandelt. Oft ist auch ein chirurgischer Eingriff notwendig: Der Abszeß wird angeschnitten und entleert. Auf jeden Fall muß die Patientin strengste Bettruhe wahren.

Alternative Behandlungsmethode:

Mit Tonerdeumschlägen, die am Anfang 2—3mal täglich gewechselt werden, später nur mehr einmal pro Tag, kann man ebenfalls Heilungserfolge erzielen.
Die kalte Tonerde wird direkt auf den Abszeß aufgetragen. Tonerde ist reich an Mineralien und Spurenelementen, wirkt gegen Giftstoffe und fördert die Wundheilung.
Auch hier ist absolute Bettruhe erforderlich.

Endometritis (Entzündung der Gebärmutterschleimhaut)

Eine Infektion der Gebärmutter bzw. der Gebärmutterschleimhaut (Endometrium) nennt man Endometritis. Sie tritt meist in Folge einer Scheidenentzündung oder einer Entzündung des Gebärmutterhalses auf. Sie kann aber auch durch die Spirale, durch eine Abtreibung oder einen anderen operativen gynäkologischen Eingriff (intrauterin) hervorgerufen werden.

Symptome:

Fieber, eitriger Ausfluß, Schmerzen und Brennen in der Harnröhre und beim Wasserlassen.

Behandlung:

Antibiotikakur.

Eierstock- und Eileiterentzündung (Adnexitis und Salpingitis)

Eine Infektion der Eierstöcke sowie auch der Eileiter kann die Folge einer Endometritis sein, kann aber auch durch die Verwendung einer Spirale, durch eine Abtreibung oder einen operativen Eingriff hervorgerufen werden. Meistens sind beide Eileiter (Eierstöcke) befallen. Sie sind gereizt und geschwollen, und ein eitriges Sekret fließt aus. Es kann sich aber auch verschließen und einen Abszeß im Eileiter oder an den Eierstöcken bilden.
Bei 20% der Frauen ist Sterilität wegen Verklebung bzw. starker Vernarbung der Eileiter die Folge: Die Eizellen werden am Durchgang gehindert.

Symptome:

Hohes Fieber, schlechter gesundheitlicher Allgemeinzustand, starke und tiefe Schmerzen, die sich bis in die Schenkel und ins Kreuz ziehen; es können auch Blutungen auftreten.

Behandlung:

Antibiotika, strenge Bettruhe, eventuell auch Cortisonpräparate zum Verhindern von Verwachsungen.

Eierstockzysten

Zysten sind gutartige Geschwülste, die sich im Inneren des Eierstockgewebes bilden und dort einen Hohlraum schaffen, der mit Flüssigkeit gefüllt ist. Es gibt auch Zysten, die nur aus Hautgewebe bestehen (dermoide Zysten).
Es gibt auch sogenannte Retentionszysten. Sie entstehen dann, wenn ein sprungreifer Follikel nicht platzt. Er

kann dann durch weitere Flüssigkeitseinlagerungen die Größe einer Orange erreichen.
Auch der Gelbkörper kann sich durch Flüssigkeitseinlagerungen in dieser Weise entwickeln (Corpus-luteum-Zyste).
Eine Sonderform der Eierstockzysten stellen die Pseudomucinzystome dar. Bei vollständiger Entfernung sind sie harmlos. Sollte jedoch der gallertartige Schleim in die Bauchhöhle gelangen, so kann das lebensbedrohend sein.

Im Gegensatz zu den Zysten besteht das Fibrom aus Bindegewebe. Es ist der häufigste aller gutartigen Eierstocktumoren.
Eierstocktumoren können zu typischen Komplikationen führen. Es kann zu einer Stieldrehung kommen. Darunter versteht man die Drehung des vergrößerten und beweglichen Eierstocks um seine Achse. Dieses Ereignis tritt plötzlich auf und ist mit stechenden Schmerzen verbunden. Eine sofortige Operation ist erforderlich, da sonst der Eierstock wegen der fehlenden Blutzufuhr abstirbt. Die Folge wäre eine Entzündung, die sich im ganzen Bauchraum ausdehnen und somit lebensbedrohlich werden kann.

Diagnose:

Ob es sich bei einer Geschwulst am Eierstock um eine Zyste, einen Tumor, eine extrauterine Schwangerschaft oder um eine Endometriose (siehe Seite 27) handelt, kann nur vom Arzt nach genauer Untersuchung festgestellt werden. Eine Diagnosemöglichkeit ist, neben der bimanuellen Tastuntersuchung, die vaginale Ultraschalluntersuchung (siehe Seite 116), eine andere die Bauchspiegelung (Laparoskopie, siehe Seite 111).

Für diesen Eingriff ist eine Vollnarkose notwendig.

Behandlung:

Eierstockzysten können oft bösartig werden (siehe Eierstockkrebs, Seite 67f.). Daher kann man nur einfache, flüssigkeitsgefüllte (funktionelle) Zysten unter Erhaltung des Eierstocks (konservativ) behandeln.

- medikamentös — die Zysten können durch Gestagenpräparate (auch durch die Pille) zum Schrumpfen gebracht werden.
- Absaugung unter vaginaler Ultraschallsicht — der Inhalt wird zytologisch (auf Zellveränderungen) untersucht.
- Entfernung der Zyste bei einer Bauchspiegelung oder Operation.

Es sollte darauf geachtet werden, daß wegen einer einfachen, gutartigen Zyste nicht gleich der ganze Eierstock entfernt oder gar eine Totaloperation durchgeführt wird.

Brustzysten

Brustzysten entstehen durch übermäßige Entwicklungen der Brust (des Fettgewebes, der Milchgänge, der Drüsen oder der obersten Hautschicht). Man spricht von Hyperthrophien.
Zysten können von der Frau bei der Selbstuntersuchung entdeckt werden. (Nicht jedes Gewächs muß Krebs sein!). Zur Brust-Selbstuntersuchung siehe Seite 61f. Trotzdem ist eine genaue Diagnose vom Fachmann notwendig. Es wird eine Mammographie, Thermographie oder auch, falls nötig, eine Biopsie (eine Gewebsentnahme) gemacht.

Symptome:

Eventuell Anschwellen und Verhärtung der Brust.

Behandlung:

Operative Entfernung der Zyste.

Myome

Bei einer von vier Frauen über 35 werden in der Gebärmutter Myome festgestellt. Myome sind gutartige Muskelgeschwülste in der Gebärmutter, die meist zu mehreren auftreten und praktisch nie bösartig werden. Sie können manchmal eine Befruchtung erschweren. Bei jungen Frauen sind sie aber meist zu klein, um solche Schwierigkeiten hervorzurufen. Bei älteren Frauen können sie größer werden.

Vorbeugung:

Yogaübungen (siehe Seite 29f.).

Symptome:

Myome können, wenn sie größer werden, zu Unregelmäßigkeiten im Zyklus, zu Zwischenblutungen oder zu starken Periodenblutungen führen.

Behandlung:

Wenn Myome groß werden und zu Schwierigkeiten führen, können sie seit kurzer Zeit auch medikamentös behandelt werden.
Man kann die Myome auch chirurgisch entfernen (konservative Myomoperation). Eine Hysterektomie (Entfernung der Gebärmutter) ist aber meist nicht notwendig. Wird vom Gynäkologen eine solche Operation vorgeschlagen, ist es ratsam, eine „second opinion" von einem anderen Fachmann bzw. einer Fachfrau einzuholen.

Polypen

Polypen nennt man Auswüchse, die von einer Schleimhaut ausgehen. Bei Frauen treten sie häufig in der Gebärmutter und vor allem entlang des Gebärmutterhalskanals auf. Ein Polyp ist länglich, schlauchförmig und bleibt linsen- bis kirschgroß. Polypen entwickeln sich aus den Drüsen der Gebärmutterschleimhaut. Wahrscheinlich sind sie auf eine erhöhte Östrogenproduktion zurückzuführen. Polypen sind fast niemals bösartig, können aber, wenn man sie beläßt, bösartig werden.

Symptome:

Polypen können Zwischenblutungen oder auch Blutungen nach dem Verkehr bewirken.

Behandlung:

Polypen werden durch eine Kürettage entfernt.

Erythroplakie („Ektopie", „Erosion", „Geschwüre am Muttermund")

Unter Erythroplakie versteht man Ausstülpungen der Schleimhaut am Muttermund, die in die Scheidenhaut hineinreichen.
Sie sind fast immer gutartig und können sich von selbst wieder zurückbilden.

Symptome:

Geschwüre am Muttermund können, aber müssen keine Beschwerden verursachen. Ausfluß, Kontaktblutungen nach dem Verkehr können auftreten. In der gynäkologischen Praxis können sie mit der Kolposkopie (siehe Seite 114) bzw. einem Krebsabstrich diagnostiziert werden.

Behandlung:

Falls das „Geschwür“ Beschwerden verursacht, kann es folgendermaßen entfernt werden:

- durch Verschorfen mit einer chemischen Substanz
- durch „Vereisen“ mit flüssigem Stickstoff
- durch „Verbrennen“ (Elektrokoagulation)
- oder mit dem Laser.

Alle diese Eingriffe können in der Gynäkologenpraxis ambulant durchgeführt werden und sind fast schmerzlos.

AIDS
(Acquired Immune Deficiency Syndrome)

AIDS ist eine Infektionskrankheit, die durch Viren übertragen wird. Diese Viren greifen bestimmte Zellen an, bis die körpereigene Abwehr (das Immunsystem) zusammenbricht. Deshalb spricht man auch von „erworbener Abwehrschwäche“.

Um besser zu verstehen, was die AIDS-Erreger — es gibt mittlerweile zwei verschiedene Virenarten (HIV 1 und HIV 2*)), die AIDS erwiesenermaßen hervorrufen — im Körper bewirken, sei die Funktionsweise des Immunsystems kurz erläutert (Illustrationen dazu siehe Seite 54 und 55):

Eine Gruppe von weißen Blutkörperchen — die sogenannten T-Lymphozyten und B-Lymphozyten — kontrollieren den Körper ständig auf „Eindringlinge“ (z.B. Viren, Pilze, Bakterien usw). Entdeckt diese „Körperpolizei“ einen Krankheitserreger, so wird sofort die Bildung von speziellen Abwehrstoffen und auch sogenannten Killerzellen veranlaßt. Diese Abwehrstoffe (Antikörper) kreisen dann im Blut. Ist der „Abwehrkampf“ gewonnen, kehrt das System zum Normalzustand zurück. Nur sogenannte Gedächtniszellen bleiben im Blut. Diese Schutztruppe kann, sollte der gleiche Krankheitserreger wieder in den Körper eindringen, sofort die ganze Abwehrkraft wieder mobilisieren.

Die Chefs der Körperpolizei sind eine Untergruppe der T-Lymphozyten, die T-Helferzellen (T4-Zellen). Sie haben die Steuerung des Immunsystems in der Hand und sorgen zum Beispiel auch wieder für den rechtzeitigen Rückzug des Abwehrsystems.

Eben diese Kommandozentrale (T-Helferzellen), aber auch die Freßzellen (Makrophagen), die normalerweise die fremden Stoffe im Körper vernichten sollen, werden bevorzugt vom AIDS-Virus befallen.

Das Virus dringt in diese Zellen ein, verändert ihr Erbgut und zwingt sie, neue Viren herzustellen. Ihre eigentlichen Aufgaben können diese Zellen dann nicht mehr ausführen.

Der AIDS-Erreger ist deshalb so gefährlich, weil er die körpereigene Abwehr lahmlegt.

Und noch eine ungute Eigenschaft hat das AIDS-Virus: Es kann auch Gehirnzellen befallen und zerstören.

Wie steckt man sich mit dem AIDS-Virus an?

Ursprünglich soll das Virus von der grünen Meerkatze, einer häufigen Affenart in Afrika, auf den Menschen übertragen worden sein. Von Afrika, wo die höchste Zahl an AIDS-Infizierten vermutet wird, wurde AIDS nach Amerika und in weiterer Folge auch nach Europa eingeschleppt, lautet die Theorie.

**) HIV: engl. Abkürzung für Human Immuno Deficiency Virus = Menschliches Immun-Defekt Virus, d.h. das Virus kommt nur beim Menschen vor und kann das Immunsystem angreifen.*
HIV — der Name des Aidserregers wurde von der WHO (Weltgesundheitsorganisation) festgelegt, nachdem es zuvor eine Verwirrung mit unterschiedlichen Namen gegeben hatte (LAV, HTLV III usw.).

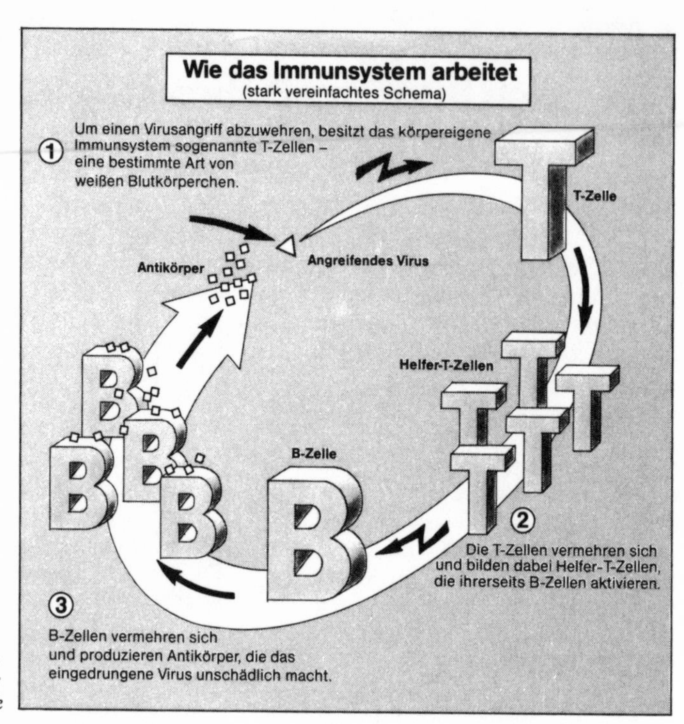

Quelle: Die Zeit, Grafik: Wolfgang Schliephack

Das AIDS-Virus wurde bei infizierten Personen in fast allen Körperflüssigkeiten gefunden: im Blut, in der Samenflüssigkeit, in der Muttermilch, im Speichel und sogar in Tränen. Im Blut und in der Samenflüssigkeit kommt das Virus in der höchsten Konzentration vor. Aber auch in der Muttermilch wurden hohe Konzentrationen gemessen. Im Speichel ist die Konzentration weit geringer, und in der Tränenflüssigkeit ist die Konzentration so gering, daß man ca. 2 Liter Tränenflüssigkeit braucht, um überhaupt Viren nachweisen zu können.
Im Schweiß wurden bisher noch keine Erreger nachgewiesen.
Da das Ansteckungsrisiko bei AIDS — vieles deutet darauf hin — auch von der aufgenommenen Virusmenge abhängig ist, ist eine Infektion mit Tränen sehr unwahrscheinlich.
Blut, Samenflüssigkeit und Muttermilch weisen die größten Viruskonzentrationen auf und sind als Infektionsquelle unumstritten.
Eine Infektion kann dann stattfinden, wenn irgendeine dieser Flüssigkeiten in den Blutkreislauf einer anderen Person gelangt.

Die drei wichtigsten Ansteckungsmöglichkeiten sind:

Blutkontakt

1. bei der Benützung von gebrauchten Injektionsnadeln bei Drogenkonsum.
2. Bluttransfusionen (seit 1985 werden alle Blutkonserven auf AIDS-Erreger untersucht).

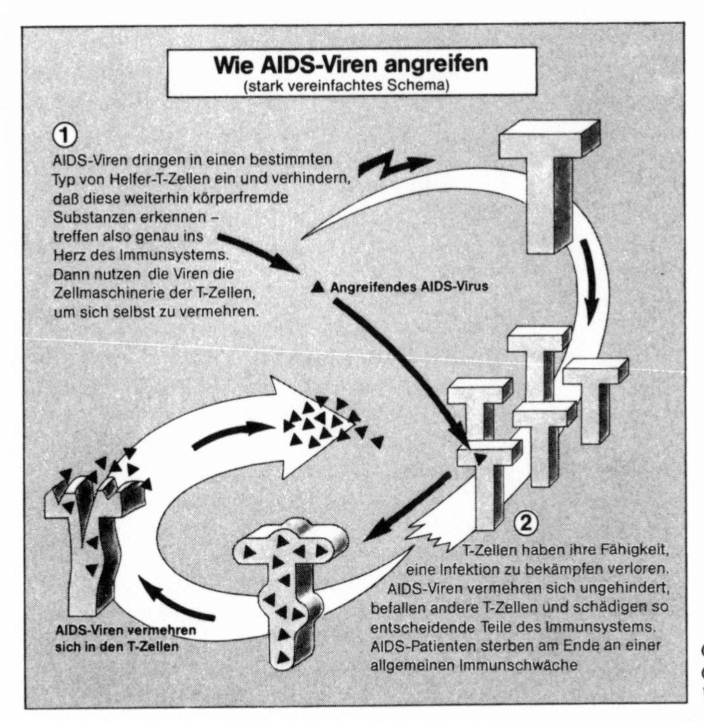

Quelle: Die Zeit, Grafik: Wolfgang Schliephack

Sex

Infizierte Körperflüssigkeiten dringen durch kleine, oft unbemerkte Wunden in die Blutbahn.

Von der Mutter auf das Kind

Das Virus kann während der Schwangerschaft, während der Geburt, aber auch durch das Stillen übertragen werden.

AIDS-krank/AIDS-infiziert

Wer infiziert ist, muß noch lange nicht krank sein.
Infiziert sein heißt, daß der Erreger in den Körper eingedrungen ist und sich vermehrt hat. Weil das menschliche Abwehrsystem den AIDS-Erreger nicht ausschalten kann, wird dieser ein Leben lang im Blut und in anderen Körperflüssigkeiten bleiben, ohne daß der Angesteckte unbedingt an AIDS erkranken muß. Die Wissenschafter sind sich zur Zeit noch nicht einig, wie hoch die Zahl der Angesteckten ist, die tatsächlich an AIDS erkranken müssen. Zur Zeit wird dieses Risiko auf 40 bis 60% geschätzt. Das heißt: Von 10

Infizierten müssen 4 bis 6 damit rechnen, zu erkranken.

Ob ein AIDS-Infizierter tatsächlich an AIDS erkrankt, hängt auch von der guten oder schlechten Verfassung des körpereigenen Abwehrsystems zum Zeitpunkt der Ansteckung ab. Es dürfte auch wichtig sein, inwieweit der Körper nach der Ansteckung zusätzlich belastet wird. Zum Beispiel durch andere Erreger, aber auch durch „ungesundes Leben" (Nikotin, Schlafmangel, Drogen, Alkohol, schlechte Ernährung) und durch anderweitige Schwächung der körpereigenen Abwehr.

Bei einem AIDS-Test wird festgestellt, ob der Körper des Untersuchten im Blut Antikörper gegen den AIDS-Erreger gebildet hat.

Die Inkubationszeit bei AIDS (die Zeitspanne von der Ansteckung bis zu den ersten Krankheitssymptomen) reicht von 6 Monaten bis angeblich sogar 14 Jahren.

Zur Zeit spricht alles dafür, daß es 3 bis 4 Jahre nach der Ansteckung zu einer Häufung der Erkrankungen kommt.

Vor dem Vollausbruch der AIDS-Erkrankung gibt es bestimmte Veränderungen, die auf eine beginnende Störung des Immunsystems hinweisen.

Dieses Zwischenstadium wird als LAS (Lymphadenopathiesyndrom) oder als ARC (Aids related complex = Anzeichen einer beginnenden Immunschwäche, bedingt durch eine AIDS-Infektion) bezeichnet.

Diese Zwischenstadien führen aber nicht zwangsläufig zum endgültigen Ausbruch der Erkrankung, wenngleich die Wahrscheinlichkeit dafür sehr hoch ist.

Die Symptome für LAS und ARC sind: anhaltende Schwellungen der Lymphknoten, Fieberschübe, Nachtschweiß, Gewichtsverlust, unklare Hautausschläge.

AIDS-„Vollbild" ist der medizinische Ausdruck für die ausgebrochene AIDS-Erkrankung. In diesem Stadium hat das HIV-Virus die körpereigene Abwehr so schwer geschädigt (die T-Helferzellen sind weitgehend zerstört), daß sie zusammenbricht und der Patient keinen Schutz mehr vor Krankheitserregern hat. Er leidet unter vielen Krankheiten gleichzeitig (z.B. Lungenentzündung, Krebs, Pilzerkrankungen, Nervenerkrankungen, geistige Verwirrung).

Ein wirksames AIDS-Medikament ohne massive Nebenwirkungen gibt es noch nicht. Behandelt werden können jedoch die Symptome. Je besser es gelingt, den Krebs und die Infektionen in Schach zu halten, um so länger bleibt ein AIDS-Kranker am Leben.

Eine Spontanheilung der AIDS-Krankheit ist in keinem Fall bekannt.

An einem AIDS-Impfstoff und an wirksamen Pharmaprodukten wird fieberhaft geforscht und gearbeitet.

Da es eben noch kein gutes Medikament, keinen Impfstoff gegen AIDS gibt, kommt der Vorsorge große Bedeutung zu:

Wie kann man sich vor AIDS schützen?

- Die Ansteckung durch Bluttransfusionen ist bei uns sehr gering. Alle Blutspender wie auch Blutkonserven werden geprüft.
- Drogenabhängige können durch die Verwendung von Einwegnadeln und -spritzen das Risiko minimieren.
- Die Ansteckung auf sexuellem Weg ist noch immer der häufigste Weg. „Safer Sex" — die Verwendung „sicherer" Sexualpraktiken — ist eine Möglichkeit, eine AIDS-Infektion zu verhindern.

Risikoreiche Sexualpraktiken:

(Reihenfolge nach Bedeutung)
- Am risikoreichsten: Verkehr unter männlichen Homosexuellen (egal wie)
- Für Frauen: Mit Bisexuellen und Drogensüchtigen (egal wie)
- Blutkontakt
- Analverkehr ohne Kondom
- Alle Arten von Analverkehr mit Verletzungsgefahr
- Oral-Anal-Verkehr
- Einnahme von Körperausscheidungen
- Oralverkehr (Fellatio und Cunnilingus)
- Vaginalverkehr ohne Kondom
- Austausch von Sexspielzeugen

Weniger Aidsrisiko für Frauen und Männer:

Risikoarme Sexualpraktiken:

- Zungenküsse
- Oralverkehr mit Vorsichtsmaßnahmen (Kondom, Spermizid)
- Vaginalverkehr mit Kondom und/oder Spermizid (Nonoxinol-Wirkstoff in Spermiziden — wirkt schützend vor AIDS)
- Analverkehr mit Kondom und Spermizid-Gleitmittel.

Risikofreie Sexualpraktiken:

- Trockene Küsse
- Umarmen
- Massagen
- Gegenseitige Masturbation

Gibt es bei der AIDS-Erkrankung psychosomatische Aspekte?

Die Infektion mit dem HIV-Virus führt oft zu Verzweiflung, Angst vor dem Sterben, Depressionen, Selbstvorwürfen, Selbstmordgedanken.
Das Robert-Koch-Institut des deutschen Bundesgesundheitsamtes stellt in einer Informationsschrift fest: „Es ist bisher nicht zu entscheiden, in welchem Ausmaß diese Veränderungen psychoreaktiv oder durch organische Veränderungen bestimmt sind."
Für Betroffene ist es wichtig zu wissen, daß das Immunsystem auch vom seelischen Zustand des Patienten ab-

hängt und beeinflußt wird. Möglicherweise können Depressionen zum Beispiel das Immunsystem so weit schwächen, daß es erst dadurch zum Ausbruch der Krankheit kommt. Bei Herpes z.B. weiß man schon lange, daß zwischen seelischer Verfassung und dem Ausbruch der Krankheit ein Zusammenhang besteht.

Daher ist für AIDS-Infizierte folgendes sehr wichtig:

- Die Panik darf nicht die Oberhand gewinnen.
- Gespräche mit ebenfalls Betroffenen können da sehr hilfreich sein. Erfahrungsaustausch und gegenseitige Unterstützung können dazu beitragen, das seelische Gleichgewicht wiederzufinden (Adressen von AIDS-Hilfegruppen siehe Anhang).
- Eine gesunde Lebensweise stärkt die inneren Kräfte: Gesunde Ernährung und viel Schlaf fördern die innere Ausgewogenheit. Drogen, Nikotin und Alkohol hingegen schwächen sie.

Krebs

Was ist Krebs?

Jedes Organ des menschlichen Organismus besteht aus Zellen, die alle ihre speziellen Aufgaben haben (z.B. Hautzellen, Leberzellen, Blutzellen usw.). Alle diese Zellen haben eine bestimmte Lebensdauer, gehen zugrunde und werden durch neugebildete Zellen ersetzt. Die Neubildung dieser Zellen regelt im gesunden Organismus eine Steuerzentrale. Kommt es zu einem Defekt in dieser Steuerzentrale, so entstehen Zellen, die ihrer Aufgabe nicht mehr nachkommen können und deren Wachstum außer Kontrolle gerät. Diese unkontrollierte Zellvermehrung wird als Tumor bezeichnet. Tumoren sind aber nicht alle gleich. Man unterscheidet gutartige und bösartige Tumoren.
Gutartige Tumoren bleiben vom übrigen Organgewebe gut abgegrenzt und wachsen auch nicht in andere Organe hinein. Ihre Zellen sind meist den „normalen“ Zellen des Organs, von dem sie kommen, ähnlich. Gefährlich werden gutartige Tumoren im allgemeinen nur dann, wenn sie durch ihre Größe und ihren Umfang Druck auf das Nachbargewebe ausüben.
Bösartige Tumoren werden als Krebs bezeichnet.
Krebszellen haben die Ähnlichkeit mit Organzellen weitgehend verloren und zeichnen sich durch eine hohe Bereitschaft zur Zellteilung aus. Bösartige Tumoren wachsen meist sehr schnell, bleiben nicht abgegrenzt, sondern wuchern in das umliegende Gewebe hinein und zerstören es. Krebszellen, die in Blut- oder in Lymphbahnen gelangen, können sich auch an anderen Stellen im Körper ansiedeln (Metastasenbildung).
Ob ein Tumor gutartig oder bösartig ist, kann durch eine mikroskopische Untersuchung von entnommenem Gewebe oder Zellmaterial festgestellt werden (z.B. durch einen Abstrich, siehe Seite 10f. und 65).

Wie entsteht Krebs?

Darauf gibt es noch keine Antwort. Was man weiß, ist, daß verschiedene Faktoren die Krebsentstehung begünstigen können. Bestimmte chemische Stoffe, Viren, chronische Entzündungen, seelische Faktoren usw. Meist ist jedoch ein Zusammenwirken mehrerer solcher Einflüsse gleichzeitig oder nacheinander für die Auslösung von Krebs verantwortlich.

Was bedeutet die Diagnose „Krebs“?

Je früher die Erkrankung festgestellt wird, desto besser sind die Heilungsaussichten. Auch wenn die Ursachen für die Entstehung von Krebs noch nicht ganz geklärt sind, gibt es doch sehr wirksame Behandlungsmethoden: z.B. chirurgische Eingriffe, Chemotherapie (Behandlung mit Medikamenten), Strahlentherapie, Hormonbehandlung, Immuntherapie (Stärkung der körpereigenen Abwehr).

Selbsthilfe bei Krebs

Jede Krebserkrankung bringt seelische und soziale Probleme mit sich, die zusätzlich zur körperlichen Belastung schwer zu verkraften sind.
In Selbsthilfegruppen vereinigen sich Menschen, die selbst von dieser Krankheit betroffen sind und gemeinsam versuchen, die daraus erwachsenden Probleme zu bewältigen.
Das Gespräch mit anderen Betroffenen in so einer Gruppe trägt dazu bei, Ängste abzubauen, Problemlösungen zu finden, mit der Krankheit besser fertig zu werden.
Die meisten dieser Selbsthilfegruppen stehen auch mit ähnlichen Organisationen in der ganzen Welt in Verbindung. So können internationale Erfahrungen genutzt werden. Adressen von solchen Gruppen sind im Anhang aufgelistet.

Frauen und Krebs

In Österreich sterben pro Jahr ungefähr 9.000 Frauen an Krebs. In der BRD 8mal soviel und in der Schweiz ist die Anzahl ähnlich der österreichischen Gesamtzahl.
Ungefähr ein Drittel der Krebserkrankungen betrifft die weiblichen Geschlechtsorgane. Die Häufigkeit in absteigender Reihenfolge:

- Brustkrebs (Mammaekarzinom)
- Eierstockkrebs (Ovarialkarzinom)
- Gebärmutterkrebs (Corpuskarzinom)
- Gebärmutterhalskrebs (Zervixkarzinom)
- Scheidenkrebs (Vaginalkarzinom)
- Krebs der äußeren Geschlechtsorgane (Vulvakarzinom)
- ganz selten Eileiterkrebs (Tubenkarzinom)

Obwohl man derzeit bei den meisten Krebserkrankungen weder die Ursache noch Möglichkeiten der Verhütung kennt, sind folgende Tatsachen unbestritten:
1. Krebs ist eine heilbare Krankheit
2. Früherkennung von Krebs erhöht seine Heilungschancen
3. Früherkannter Krebs muß weniger radikal behandelt werden.
Untersuchungen bestätigen, daß dort, wo eine lückenlose Vorsorge durchgeführt wird, seit Jahren z.B. kein fortgeschrittener Krebs der Gebärmutter aufgetreten ist.
Eine wirkungsvolle Vorsorge ist aber nur dann gegeben, wenn die Frauen regelmäßig (ab dem 20. Lebensjahr) mindestens einmal, besser zweimal im Jahr zum Frauenarzt gehen.

Krebskrankheit und Psychosomatik

Psychische Faktoren spielen bei der Krebsentstehung eine wichtige Rolle. In Untersuchungen werden sogar ganz bestimmte Menschentypen als eher krebsanfällig beschrieben:
Menschen, die depressiv, zwanghaft,

gehemmt und überangepaßt agieren, neigen eher zu dieser Erkrankung als andere. Auch können erhebliche psychische Belastungen wie zum Beispiel der Verlust eines nahestehenden Angehörigen, der Verlust einer Lebensaufgabe oder eines Lebenszieles oder ein Karrierebruch Auslöser sein. Depressionen, Hilf- und Hoffnungslosigkeit sowie Verzweiflung sind oft die Folge. Dies kann wiederum die Krebsentstehung begünstigen. Es gibt auch andere wissenschaftliche Arbeiten, die die Vermutung zulassen, daß frühe Störungen der Eltern-Kind-Beziehungen die Grundlage für ein späteres psychisches und immunologisches Versagen in der Verarbeitung von psychosozialem Streß sind. Krebs ist ja auch ein Problem der Immunabwehr. Kranke Zellen werden normalerweise als solche erkannt und vom Körper bekämpft. Bei Krebs ist das eben nicht der Fall.
Aber auch Umwelteinflüsse und Ernährung spielen bei der Krebsentstehung eine Rolle.

Brustkrebs (Mammakarzinom)

Vorsorge:

- Regelmäßiges Abtasten (Selbstuntersuchung, siehe unten),
- ab dem 35. Lebensjahr einmal pro Jahr eine Mammographie, siehe Seite 11.
- regelmäßige Tastuntersuchung durch den Gynäkologen bzw. die Gynäkologin.

Brustkrebs befällt vor allem jüngere Frauen zwischen 30 und 40 Jahren.
Keine andere Krebsart berührt die Frauen so stark und löst so massive Ängste aus wie der Brustkrebs. Von den gynäkologischen Krebsarten ist der Brustkrebs auch derjenige, der die Statistik der Krebstoten anführt. Deswegen hat die Früherkennung hier eine ganz besonders wesentliche Bedeutung. Und hier liegt es vor allem an der Frau, selbst Vorsorge zu leisten und einmal pro Monat ihre Brust abzutasten. Die meisten bösartigen Tumore werden nämlich immer noch von den Frauen selbst entdeckt, wie zahlreiche Studien beweisen. Eine Frau, die ihre Brust gut kennt, kann Veränderungen frühzeitig wahrnehmen und besser einschätzen. Denn mit der Zeit entwickelt sie ein feines Gespür dafür, ob Verhärtungen nur periodisch auftreten und wieder verschwinden, oder ob sie bleiben. Sensible Frauen können sogar — berichten Ärzte — Knoten ertasten, die weniger als 1 cm Durchmesser haben. Einmal pro Jahr sollte zur Sicherheit auch noch der Arzt untersuchen.

Die Selbstuntersuchung

Jede Frau sollte einmal im Monat beide Brüste und Achselhöhlen abtasten. Der beste Zeitpunkt dafür ist unmittelbar nach der Monatsblutung.
1. Sorgfältige Betrachtung der Brüste im Spiegel, zuerst mit herabhängenden, dann mit erhobenen Armen.

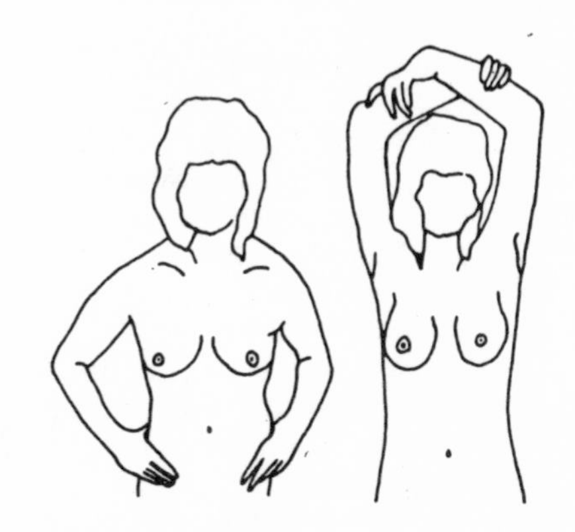

Untersuchung im Stehen
Quelle: Österreichische Krebshilfe

- Hat sich Größe oder Form verändert?
- Ist die Haut an einer Stelle hervorgewölbt oder vertieft?
- Tritt aus der Brustwarze Blut oder ein Sekret aus?

2. Auf den Rücken legen, den Kopf auf einem Kissen. Die rechte Brust mit der linken Hand und die linke Brust mit der rechten Hand abtasten. Die jeweils freie Hand zunächst unter den Kopf schieben.

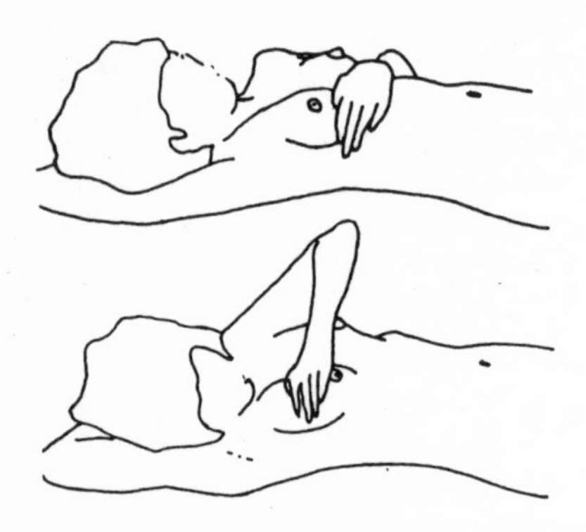

Untersuchung im Liegen
Quelle: Österreichische Krebshilfe

- Die Untersuchung beginnt beim oberen inneren Viertel der Brust. Die Hand flach ausstrecken und mit der Handinnenfläche das Viertel in kleinen kreisenden Bewegungen vom Brustbein zur Warze hin abtasten. Der Druck sollte sanft, aber spürbar sein. Dabei auf Verhärtungen und Knoten achten.
- Jetzt das innere untere Viertel der Brust abtasten. Wieder am Brustbein beginnen. Auch an den Rippen unterhalb der Brust bis zur Brustwarze entlangtasten.
- Nun das äußere untere Viertel der Brust abtasten. Dazu mit der Hand von den Rippen unterhalb und seitlich der Brust in Richtung Warze kreisen.
- Anschließend das äußere obere Viertel auf die gleiche Weise abtasten.

3. Zum Schluß die Achselhöhlen mit der flachen Hand auf Knoten und Schwellungen abtasten.

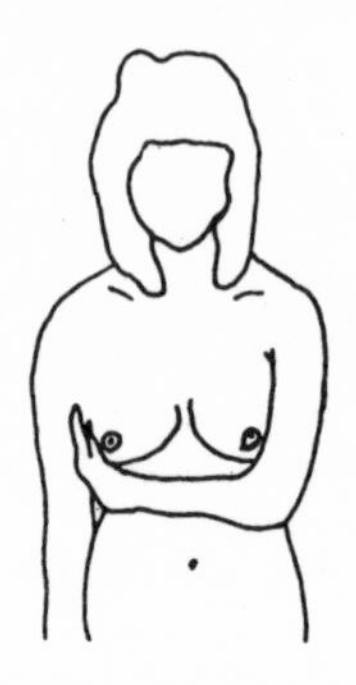

Untersuchung der Achselhöhlen
Quelle: Österreichische Krebshilfe

Werden bei dieser Selbstuntersuchung irgendwelche Anomalien entdeckt, sollte die Frau das unbedingt ihrem Arzt oder ihrer Ärztin mitteilen, damit, falls erforderlich, weitere Untersuchungen gemacht werden können.

Welche Frauen sind besonders gefährdet?

- Frauen, deren Mutter oder Schwester Brustkrebs hatte bzw. hat.
- Frauen, die bereits an einer Brust eine Krebserkrankung hatten.
- Frauen, die ihre erste Monatsblutung erheblich früher als normal hatten.
- Frauen, die wesentlich später als der Durchschnitt in die Wechseljahre kamen.
- Frauen, die an Diabetes, Übergewicht oder Bluthochdruck leiden.

- Frauen, die sich fett- und eiweißreich, aber ballaststoffarm ernähren.
- Frauen, die erst spät (nach dem 30. Lebensjahr) ihr erstes Kind bekommen haben.

Jahrelang stand auch die Antibabypille im Verdacht, Brustkrebs zu fördern. Amerikanische Studien konnten das inzwischen jedoch widerlegen.
Frauen, die stillen oder Kinder haben, haben ein geringeres Brustkrebsrisiko. Fruchtbarkeitsmedikamente, die die Eierstöcke aktivieren, stellen möglicherweise ein erhöhtes Risiko dar. Studien darüber sind im Gange.

Zusammenhänge zwischen Brustkrebs und Psyche

Schon der griechische Arzt Hippokrates hat, 400 Jahre vor Christus, Zusammenhänge zwischen einem melancholischen und duldsamen Temperament und Krebs festgestellt. Nach seiner Meinung bekommen temperamentvolle Menschen, die gelegentlich aus der Haut fahren und mit der Faust auf den Tisch hauen, viel seltener Krebs. Auch im 19. Jahrhundert machten englische Ärzte die gleichen Feststellungen.
Die Bedeutung psychischer Faktoren für die Auslösung von Brustkrebs ist inzwischen von zahlreichen Ärzten in vielen Ländern der Welt bestätigt worden.
Brustkrebspatientinnen leiden oft unter schweren ungelösten Konflikten, neurotischen Zuständen, einer pessimistischen Grundeinstellung, der Ablehnung und der Abwehr jeglicher gesunder Sexualität, unter Hoffnungslosigkeit oder unüberwindbaren, negativen Streßsituationen. Bezeichnend ist, daß viele Frauen, bei denen Brustkrebs diagnostiziert wird, kurz davor aus irgendeinem Grund einer außerordentlichen Belastung ausgesetzt waren. Zum Beispiel durch eine chronische oder akute Erkrankung, durch den Verlust einer nahestehenden Person, durch berufliche Probleme, durch Depressionen oder chronische Angstzustände.
Dieses Wissen um die seelischen Komponenten bei der Entstehung von Brustkrebs sollte sowohl in der Vorbeugung als auch in der Therapie berücksichtigt werden. Besonders für die erfolgreiche Vorbeugung ist hier ein Ansatz gegeben, der kaum zur Kenntnis genommen wird: Psychotherapeutische Hilfe könnte die Entstehung von Brustkrebs vielleicht verhindern.

Therapeutische Maßnahmen bei Brustkrebs

Wann muß wie operiert werden?

Noch vor zehn Jahren war eine radikale Amputation das unausweichliche Schicksal aller Frauen, bei denen Brustkrebs diagnostiziert wurde, und zwar unabhängig von der Größe des Knotens. Dabei wurde nicht nur die ganze Brust entfernt, sondern auch der Brustmuskel. Außerdem wurden alle Lymphknoten in der Achselhöhle ausgeschabt. Nach einer solchen Radikaloperation ging es den meisten Frauen körperlich, aber auch seelisch sehr schlecht.
Seit einigen Jahren versuchen immer mehr Chirurgen, Frauen eine solche Verstümmelung zu ersparen. Nicht zuletzt deshalb, weil Studien ergeben haben, daß die Lebenserwartung nach Krebsoperationen, bei denen die Brust erhalten bleibt, nicht schlechter ist als bei radikalen Eingriffen. Entscheidend für den Heilungserfolg ist nämlich vor allem, ob der Tumor bereits Metastasen gebildet hat.

Bei den brusterhaltenden Operationen wird nur der Knoten oder noch zusätzlich ein Teil des umgebenden Gewebes herausgenommen. Sind die Lymphknoten bereits von Krebszellen befallen, wird noch ein Schnitt in der Achselhöhle gemacht.
Diese schonende Methode ist aber nur unter folgenden Voraussetzungen erfolgreich:

- Der Knoten darf höchstens 2 cm groß sein.
- Chirurg, Pathologe und Radiologe müssen ein gut eingespieltes Team sein. Der Chirurg entfernt den verdächtigen Knoten. Der Pathologe untersucht, noch während die Frau in Narkose ist, das entnommene Gewebe (Gefrierschnittverfahren) mikroskopisch. Er kann dem Chirurgen somit genau mitteilen, wie weit er zu „schneiden" hat.
  Der Radiologe kümmert sich um die Nachbehandlung.
- Eine effiziente Nachsorge muß gesichert sein. Die Brust muß regelmäßig überwacht und auch bestrahlt werden, um kleine Krebszellenherde im Randgebiet abzutöten.
- Die Frau muß diese Nachbehandlung konsequent mitmachen.

Sollte eine Brustamputation notwendig sein, so gibt es heute auch hier schon Möglichkeiten der plastischen Rekonstruktion, bei der eine künstliche Brust eingesetzt wird. Im Gegensatz zu früher bleibt heute der Brustmuskel bei der Operation erhalten, oft sogar auch Haut und Warze. So kann die Brust leichter wieder aufgebaut werden. Möglich ist die Rekonstruktion sofort nach der Amputation, aber auch 1 bis 2 Jahre später. Mit Hilfe von Silikoneinlagen und der plastischen Chirurgie, die aus körpereigener Haut Warzenhof und Warze formt, ist die künstliche Brust nach dem Heilungsprozeß kaum von der ursprünglichen zu unterscheiden.

Um die seelischen Schwierigkeiten, die eine Brustoperation mit sich bringt, besser bewältigen zu können, sind Gespräche in Selbsthilfegruppen hilfreich. Der Erfahrungsaustausch mit ebenfalls Betroffenen vermindert den Leidensdruck.
Kontaktadressen von solchen Selbsthilfegruppen sind in Frauenzentren (siehe Anhang), beim Arzt oder auch im Spital zu erhalten.

Gebärmutterkrebs (Korpuskarzinom)

Vorsorge:

Mindestens einmal jährlich Krebsabstrich, gynäkologische Untersuchung, vaginaler Ultraschall.
Ultraschalluntersuchungen kennen die meisten Frauen, die bereits Kinder geboren haben. Damit kann das Ungeborene auf einem Bildschirm sichtbar gemacht werden, und Lage des Kindes sowie Anomalien können von einem erfahrenen Diagnostiker festgestellt werden. Werden bei dieser Untersuchung die Ultraschallwellen durch die Bauchdecke geschickt, so werden sie bei vaginalen Ultraschalluntersuchungen von einer Sonde, die durch die Scheide, also vaginal, eingeführt wird, ausgesendet. Treffen diese Schallwellen auf einen Widerstand — etwa einen Knoten —, so werden sie zurückgeworfen. Das Gerät zeichnet auf einem Bildschirm die Hin- und Rückwege der Wellen auf und überträgt sie in Form von hellen und dunklen Lichtpunkten.
Unter allen gynäkologischen Krebsarten ist der Gebärmutterkrebs jener,

der laut Annual Report*) die höchste 5-Jahres-Überlebensrate hat, nämlich 68%. Das heißt, von 100 Erkrankten leben 68 Frauen noch länger als fünf Jahre.
Der Gebärmutterkrebs befällt vor allem ältere Frauen nach dem Wechsel. Unregelmäßige Blutungen und auch Blutungen nach der Menopause können Anzeichen dafür sein. (Doch können Blutungen auch hormonelle Ursachen haben.) Die einzige sichere Methode, um festzustellen, ob bösartige Zellen die Ursache sind, ist eine Kürettage (siehe Seite 108). Die dabei ausgeschabten Schleimhautzellen werden dann mikroskopisch untersucht. Bestätigt dieser histologische Befund den Krebsverdacht, so gibt es mehrere Behandlungsmöglichkeiten.

Behandlung:

Ist der Krebs auf die Gebärmutter beschränkt und erlaubt es der Allgemeinzustand der Frau, so wird operiert. Es wird eine sogenannte erweiterte Totaloperation durchgeführt, eine Entfernung von Gebärmutter, Eileiter, Eierstöcken und Scheidenmanschette.
Eine Nachbestrahlung mit Kobalt ist manchmal notwendig.
Ist der Krebs inoperabel oder läßt der Allgemeinzustand der Frau einen solch massiven Eingriff nicht zu, so wird eine Radiumeinlage implantiert. Diese Implantationen werden stationär in den strahlentherapeutischen Abteilungen der Krankenhäuser gemacht.
Mit oder auch ohne Narkose werden händisch oder auch maschinell stabförmige Radiumeinlagen in die Gebärmutter eingeführt und dort mehrere Stunden belassen — je nach Ausdehnung des Krebses. Auch hier wird mit Kobalt nachbestrahlt.
Zur Unterstützung der erwähnten Behandlung wird oft auch noch eine Hormontherapie mit starken Gestagenen gemacht, die die Gebärmutterschleimhaut und somit auch den Krebs zum Schrumpfen bringt.

Nebenwirkungen:

Strahlenbehandlung mit Radium: Langdauernde, schmerzhafte Rötung der Scheide, Narbenbildung, Verengung der Scheide, Unmöglichkeit, wieder Verkehr zu haben.
Strahlenbehandlung mit Kobalt: Rötungen, Verbrennungen der Haut, Narbenbildung, Schrumpfung der Genitalorgane.

Gebärmutterhalskrebs (Zervixkarzinom)

Dysplasie

Dysplasie ist ein Warnzeichen vor Gebärmutterhalskrebs. Wird bei einem Routinekrebsabstrich eine Dysplasie am Muttermund festgestellt, so ist aber das noch lange kein Krebs. Mit Dysplasie bezeichnet man das Auftreten atypischer Zellen am Muttermund. Zellen, die nicht „normal“ sind, sind aber nicht unbedingt bösartig.
Grundsätzlich kann das Resultat des Krebsabstriches entweder „negativ“ — wenn keine atypischen Zellen im Abstrich gefunden wurden — oder „positiv“ sein, wenn atypische Zellen gefunden wurden.
Die Einteilung und Bewertung der Befunde erfolgt nach Papanicolaou

---
*) *Annual Report (Internationale Krebsstatistik), Per Kolstad, Rodiumhammet, Stockholm, Vol. 18, 1982.*

(Pap.), jenem Arzt, der diese Klassifikation der Abstriche eingeführt hat.

Pap I: Ausschließlich sicher gutartige Zellen im Abstrich.
„Negativ" — unverdächtig.

Pap II: Eindeutig gutartige Zellen, die aber z.B. durch Entzündungen oder durch die Wechseljahre bedingt verändert sind.
„Negativ" — unverdächtig.

Pap III: Atypische Veränderungen, die aber nicht mit Sicherheit als krebsverdächtig bezeichnet werden können. Weitere Abstriche sind zur Klärung notwendig — leichte Dysplasie.
Pap III spricht für eine schwere entzündliche oder frühe tumoröse Veränderung. Bei entzündlicher Ursache ist nach Behandlung eine kurzfristige Abstrichskontrolle notwendig. Bei einer tumorösen Ursache wird eine Konisation (siehe unten) durchgeführt.

Pap IV: Einzelne atypische Zellen, die krebsverdächtig sind. Eine Gewebsuntersuchung (eine Konisation, siehe unten) ist erforderlich.
„Positiv" — schwere Dysplasie.

Pap V: zahlreiche atypische Zellen, die für Krebs sprechen.
„Positiv".

Behandlung: Eine Behandlung einer leichten Dysplasie — falls sie entzündliche Ursachen hat, siehe Entzündungen, Seite 43 ff.
Falls der Abstrich krebsverdächtig ist, wird eine Konisation durchgeführt. Der daraus folgende Befund entscheidet über die weitere Behandlungsmethode.

Vorsorge:

Ab dem 20. Lebensjahr mindestens einmal jährlich ein Krebsabstrich, wenn möglich auch eine Kolposkopie. Kolposkopie ist die Untersuchung des Muttermundes mit Hilfe des Kolposkops. Durch eine spezielle Lichtquelle und eine entsprechende Optik ist eine 6- bis 40fache Vergrößerung möglich. Durch diese Vergrößerung lassen sich für den Arzt bzw. die Ärztin Veränderungen am Muttermund erkennen.

Wie Brustkrebs befällt Gebärmutterhalskrebs vor allem jüngere Frauen. Risikofaktoren sind:

- mangelnde Hygiene
- häufiger Geschlechtsverkehr mit wechselnden Partnern
  Man vermutet, daß Männer auch an der Übertragung (Papillomvirus — Auslöser einer Warzenerkrankung) beteiligt sind.
- Rauchen
- chronische Infektionen oder biochemische Störungen der Scheidenflora.

Durch den regelmäßigen Krebsabstrich (siehe Seite 10) ist der Gebärmutterhalskrebs früh zu erkennen.
Die 5-Jahres-Überlebensrate bei der Diagnose „Gebärmutterhalskrebs" liegt laut Annual Report bei 55%.

Behandlung:

Gebärmutterhalskrebs wird hauptsächlich chirurgisch behandelt. Wenn ein Krebsabstrich positiv ist, wird eine sogenannte Konisation durchgeführt. Für diesen Eingriff ist eine Vollnarkose oder eine örtliche Betäubung notwendig. Mit dem Skalpell wird ein kegelförmiges Stück (Konus) um den

Zervixkanal herum herausgeschnitten. Die Untersuchung eines Konus durch den Pathologen dauert mehrere Tage, da das Gewebe genau auf die Ausdehnung der Krebszellen abgesucht werden muß. Dabei ist die Beurteilung der Schnittränder wichtig, um sagen zu können, ob das Krebsareal vollständig entfernt ist oder nicht, oder gar schon in die Tiefe vordringt. Um eine Erkrankung innerhalb der Gebärmutter ausschließen zu können, wird bei einer Konisation auch noch eine Kürettage durchgeführt.

Nur wenn nicht alle Krebszellen durch die Konisation entfernt werden konnten, ist eine Gebärmutterentfernung (Hysterektomie), die meist vaginal, also durch die Scheide durchgeführt wird, angezeigt.
Stellt sich ein fortgeschrittener Krebs heraus, muß eine Radikaloperation gemacht werden.

Bei Gynäkologen, die „besonders gründlich" sind, die, anstatt mit der Frau zu reden, gleich einmal eine Radikaloperation*) (Gebärmutter, Eierstöcke, Eileiter, Lymphdrüsen im kleinen Becken und Unterbauch) vorschlagen, ist es sicher zu empfehlen, zunächst noch einen weiteren Gynäkologen zu Rate zu ziehen („second opinion", siehe Seite 13).
Auch die primäre Bestrahlung eines irreversiblen Zervixkarzinoms ist möglich, ähnlich wie beim Gebärmutterkrebs (siehe Seite 65).

*) *Es muß auch erwähnt werden, daß solche Radikaloperationen (nach Wertheim, einem berühmten Wiener Gynäkologen), zu den schwierigsten gynäkologischen Operationen gehören. Will ein Arzt Primarius werden oder sich habilitieren, also eine Lehrtätigkeit ausüben, so muß er zumindest einmal nach Wertheim operiert haben…*

Eierstockkrebs (Ovarialkarzinom)

Vorsorge:

Regelmäßige gynäkologische Untersuchung, Ultraschall, Bauchspiegelung (Laparoskopie, siehe Seite 114).

60 von 100.000 Frauen bekommen ein Ovarialkarzinom (1,6%).
Wegen seiner Lage ist ein Eierstockkrebs meist schlecht erkennbar. Frauen mittleren Alters sind häufiger davon betroffen als junge. Meistens tritt so ein Karzinom vor dem Wechsel auf. Um eine gutartige Zyste von einer bösartigen zu unterscheiden, gibt es mehrere diagnostische Möglichkeiten: Vaginaler Ultraschall, Punktieren, Hormonbehandlung.

Behandlung:

Wenn es sich um flüssigkeitsgefüllte Zysten ohne feste Anteile handelt, dann kann durch die Einnahme der Pille (oder eines anderen Gestagenpräparates), also durch Hormonbehandlung, diese Zyste zum Schrumpfen gebracht werden (siehe Eierstockzysten, Seite 49 f.).
Es ist aber auch möglich, unter Ultraschallsicht (vaginaler Ultraschall) die Zyste anzustechen und die Flüssigkeit abzusaugen.
Werden jedoch mehrkämmrige Zysten mit festen Anteilen festgestellt, so liegt Krebsverdacht nahe.

Stadien des Ovarialkarzinoms:

1. Stadium: Der Krebs ist auf die Eierstöcke beschränkt. a = einseitig, b = beidseitig, c = Übergang zum 2. Stadium.
2. Stadium: Der Krebs ist nicht mehr auf die Eierstöcke beschränkt, hinter der Gebärmutter sind schon Metastasen. Eine Flüssigkeit wird in die Bauchhöhle abgesondert. Wird diese

untersucht, kann man feststellen, ob ein Karzinom vorliegt.
Zur Abklärung, in welchem Stadium sich das Ovarialkarzinom befindet, ist eine Operation notwendig.
Ähnlich wie bei der Brustoperation muß die Frau vor der Operation darüber aufgeklärt werden, daß je nach histologischem Befund, der während der Operation vom Pathologen gemacht wird, von der einfachen Zystenentfernung bis zur Radikaloperation, ja sogar bis zu einem künstlichen Darmausgang, alles möglich ist, je nachdem, wie weit der Krebs schon Metastasen gebildet hat.
Eine Nachbehandlung ist erforderlich. Meist wird eine kombinierte Radiochemotherapie und Polychemotherapie durchgeführt. Die Strahlentherapie wechselt mit der Chemotherapie ab. Die Bestrahlung erfolgt stationär mit der sogenannten Tele-Kobalt-Kanone.

Nebenwirkungen der Chemotherapie:
Haarausfall, Störungen des Blutbildes, körperliche Schwäche.
Um die Nebenwirkungen zu mildern, ist eine vitaminreiche, gesunde Ernährung (siehe Seite 70 f.) besonders wichtig.

Scheidenkrebs (Vaginalkarzinom)

Vorsorge:

Regelmäßige gynäkologische Untersuchung, Abstrich bei Verdacht, Kolposkopie.

Der Scheidenkrebs ist sehr selten. Jedoch können in der Scheide zum Beispiel Metastasen eines Zervixkarzinoms sitzen. Daher muß abgeklärt werden, woher der Tumor kommt.

Behandlung:

Ein Vaginalkarzinom wird vorwiegend mit Strahlentherapie behandelt.
Ähnlich wie beim Gebärmutterkrebs wird in die Vagina eine stabförmige Radiumeinlage implantiert. Meistens mehrere Male. Danach wird mit Kobalt nachbestrahlt. Die Heilungsrate ist jedoch ziemlich gering (nur 35 %).

Nebenwirkungen:
Verbrennungen, oft schmerzhafte Rötungen und Schrumpfung der Genitalorgane, sowie die Unmöglichkeit, wieder Verkehr zu haben.
Frauen, die Diabetes haben, haben ein erhöhtes Risiko für diese Krebsart.

Krebs der äußeren Geschlechtsorgane (Vulvakarzinom)

Vorsorge:

Regelmäßige gynäkologische Untersuchung.

Diese Krebsart tritt vorwiegend bei älteren Frauen (im Greisenalter) auf. Aufgrund von Hormonmangel kommt es am Scheideneingang, aber auch an den kleinen und großen Schamlippen, zu einem Schrumpfen der Haut. Sie wird weniger durchblutet, ist weniger elastisch, rissig, trocken und kann jukken. Eine Krankheit (Kraurosis vulvae) kann entstehen. Die Kraurosis wird als Vorstadium (Präkanzerose) des Vulvakarzinoms gesehen. Es muß aber nicht sein, daß aus jeder Kraurosis ein Krebs wird. Als Vorbeugung werden Hormongaben im Klimakterium gegeben, die die Schrumpfung und Austrocknung der Schamlippen verhindern sollen. Diese Behandlung erfolgt lokal mit östrogenhältigen Salben und Scheidenzäpfchen (siehe auch Seite 41).

Die Früherkennung eines Vulvakarzinoms ist möglich. Frauen spüren beim Abwischen auf der Toilette eine kleine Warze oder ein kleines Gewächs wie ein Muttermal.

Behandlung:

Ist das Karzinom noch klein, kann man es unter Umständen herausschneiden. Sind aber bereits die Lymphknoten befallen (Leistengegend) muß eine Vulvektomie (die gesamte Vulva wird herausgeschnitten) gemacht werden.
Unter Vollnarkose werden bei dieser Operation große und kleine Schamlippen, Klitoris, ein Teil des Venushügels, Fett und Bindegewebe entfernt. Übrig bleibt: Scheiden- und Harnröhreneingang. After und Damm sind meist nicht betroffen. Da es bei dieser Operation zu starken Blutungen kommen kann, wird meist nicht mit dem Messer operiert, sondern eine Elektrokoagulation („Ausbrennen") durchgeführt. Die Wunde wird nicht vernäht. Sie muß ausheilen.

Wenn eine Operation nicht möglich ist, kann noch eine Strahlentherapie gemacht werden.

Krebs und Naturheilkunde

Während wir uns in den meisten Kapiteln dieses Buches bemüht haben, auch alternative Behandlungsmöglichkeiten aufzuzeigen, so ist bei bösartigen Erkrankungen wie Krebs, ja sogar bei allen Erscheinungen, welche auch nur die Möglichkeit der bösartigen Entartung bieten (Eierstockzysten, Schwellungen und Zysten in der Brust etc.) Naturheilkunde kaum ein Hilfe. Vom Experimentieren mit alternativen Behandlungsmethoden ist abzuraten. Sollte der Verdacht auf eine solche Erkrankung bestehen, so ist eine möglichst rasche Untersuchung und eine Abklärung durch den Arzt bzw. die Ärztin notwendig. Alternative (Selbst-)Behandlungen bringen hier die große Gefahr mit sich, daß die Krankheit verschleppt wird und z.B. ein an sich zu heilender Krebs sich in ein fortgeschrittenes Stadium entwikkelt, in dem keine Heilung mehr möglich ist.
Sicherlich sind auch bei Krebs und anderen bösartigen Erkrankungen (sowie beim Verdacht auf solche) unterstützende Maßnahmen durch alternative Behandlungen möglich (z.B. spezielle diätetische Maßnahmen, homöopathische Mittel, pflanzliche Mittel), welche nach Rücksprache mit dem behandelnden Arzt auch sehr hilfreich sein können. Sich auf solche Mittel zu verlassen, Selbstbehandlung oder eine Behandlung durch nicht autorisierte Personen (Kurpfuscher) sind jedoch gefährlich!

Krebs und Ernährung

Daß ein Zusammenhang zwischen Ernährung und Gesundheitszustand des Körpers besteht, darüber gibt es keinen Zweifel.
Amerikanische Forscher sind der Meinung, daß 30—50% aller Krebserkrankungen ernährungsbedingt sind.
Die richtige Ernährung ist aber nicht für jeden Menschen gleich! Sie muß individuell den Lebensumständen angepaßt sein. Was für einen körperlich schwer arbeitenden Menschen gut ist, kann für einen anderen, der vorwiegend im Sitzen arbeitet, abträglich sein.
Mit richtiger Ernährung allein kann sicherlich keine Krebserkrankung verhindert werden.
Aber falsche Ernährung führt auf der anderen Seite zu Stoffwechselveränderungen. Diese sind meist selbst nicht krebsauslösend, doch können sie eine Krebsentstehung begünstigen.

5 allgemeine Regeln für eine gesunde Ernährung

Die Einhaltung dieser Regeln kann sicherlich dazu beitragen, das Krebsrisiko zu senken.

- Keine einseitige Nahrung, um Mangelerscheinungen vorzubeugen.
- Speisen und Getränke sollen beim Genuß weder zu heiß noch zu kalt sein.
- Wichtig ist auch ein gründliches Kauen, da die Verdauung bereits im Mund beginnt.
- Mehrere kleine Mahlzeiten sind besser als wenige große.
- Ein Zuviel an Nahrung bedeutet nicht nur ein Zuviel an Körpergewicht, was Bluthochdruck und Herzinfarktrisiko nach sich zieht. Ein Zuviel an Nahrung fördert z.B auch das Wachstum von Krebszellen.

Wie kann man dem Krebsrisiko vorbeugen?

Darauf sollte möglichst verzichtet werden:

- gepökeltes, geräuchertes und gegrilltes Fleisch
- geräucherte Fische
- Weißmehlprodukte
- Zucker

Das ist zu empfehlen:

- mageres Fleisch
- Milch- und milchsäurehaltige Produkte
- viel frisches Obst und Gemüse
- Mineralwasser
- Kräutertees

Alkoholische Getränke sind nur in geringen Mengen erlaubt!
Und noch etwas: Der Genuß von einem Stück Torte löst nicht gleich Krebs aus!
Es gibt viele Hinweise, daß die Krebserkrankung mit der Art der Ernährung zusammenhängt. Zum Beispiel erkranken die Mormonen dank ihrer gesunden Lebensweise weit weniger an Krebs.
Auch hat man einen Zusammenhang zwischen Brustkrebs und zuckerreicher Ernährung festgestellt. Länder mit niedrigem Zuckerverbrauch, z.B. Japan, haben eine sehr geringe Er-

krankungsrate, wohingegen in Ländern mit hohem Zuckerverbrauch, z.B. in Kanada, auch der Brustkrebs dementsprechend häufig ist.
Ähnlich gut gesicherte Zusammenhänge ließen sich zwischen einer ballaststoffreichen Ernährung und Dickdarmkrebs finden. (Anders, Moss, Biologische Krebsbehandlung, Erfahrung und Forschung, Trias 1987).

Ernährung im Krankheitsfall

Krebsdiäten gehen von der Überlegung aus, daß sich die Krebszelle in ihrer Funktion von einer normalen Körperzelle unterscheidet. Es wurden Fastenkuren entwickelt, die die Krebszellen regelrecht aushungern. Zu bedenken ist bei solchen Diäten, daß dadurch der Körper insgesamt geschwächt wird. Andererseits wurde aber unter extrem einseitiger Ernährung, z.B. bei der Roten-Rüben-Diät, ein Stillstand beziehungsweise sogar eine Rückbildung von Tumoren festgestellt. Heilen kann man den Krebs dadurch aber nicht!

5 Regeln für eine krebshemmende Diät:

- Überernährung vermeiden!
- Auf Zucker und Weißmehlprodukte verzichten!
- Ebenso sollte möglichst auf Fleisch, vor allem auf fettes und geräuchertes, verzichtet werden!
- Möglichst wenig Eiweiß, und wenn, dann nur pflanzlicher Herkunft!
- Viel Obst, Gemüse und Vollkornprodukte (enthalten Ballaststoffe) sowie säuernde Speisen wie Sauerkraut und milchsaure Produkte essen! Diese sorgen für ein saures Milieu im Darm und begünstigen die Entwicklung nützlicher Bakterien. Zuckerreiche Ernährung verschiebt das Darmmilieu in den alkalischen Bereich und begünstigt die Entwicklung von schädlichen Bakterien.

Sexualität

Sexualität ist ein lebenswichtiger körperlicher Ausdruck unserer Zuneigung zu anderen Menschen. Sie ist eine Form der Kommunikation. Sie ist nicht ein Leben lang gleich, sondern verändert sich ständig. Sexuelle Gefühle und Reaktionen sind ein Ausdruck unseres Seins.

Auf keinem Gebiet des menschlichen Lebens sind soviel Aberglauben, Vorurteile, Klischees zu finden, wie beim Thema Sexualität. Daran hat auch die „Sexwelle" der 60er und 70er Jahre kaum etwas geändert. Es ist zwar einiges in Bewegung gekommen, vor allem, was die Erziehung der Kinder anbelangt. Junge Mütter von heute, die selbst von ihren Müttern nicht aufgeklärt wurden, die es vielleicht nicht einmal fertigbringen, mit ihrem Mann über Sexualität zu sprechen, versuchen, die Fragen ihrer Kinder ausführlich zu beantworten. Aber längst noch nicht alle. Denn Fragen über die erste Menstruation oder über den Geschlechtsverkehr werden auch heute noch nicht überall offen besprochen.

Bei der Kinderkummernummer des Österreichischen Rundfunks melden sich immer wieder zahlreiche Mädchen von 12, 13 Jahren, die ihre erste Regel bekommen haben und sich mit ihrer Mutter nicht darüber zu reden trauen.

Auch sind Verhütung und Geschlechtsverkehr nach wie vor ein Tabuthema zwischen vielen Eltern und Kindern.

Ein Hamburger Sexualwissenschaftler stellt in seiner Untersuchung zu diesem Thema fest: Es gibt keine biologischen Unterschiede in der Erregbarkeit junger Frauen und Männer. Aber in unserer Gesellschaft werden immer noch jungen Mädchen Gelegenheiten vorenthalten, in denen sie lernen können, sexuell aktiv zu sein. Jungen lernen ihren Körper schon früher kennen. Sie haben in der Regel schon vor der ersten Freundin viele Orgasmen durch Masturbation gehabt. Mädchen hingegen haben selten vor ihrem „ersten Erlebnis" einen Höhepunkt durch Selbstbefriedigung gekannt.

Das sexuelle Erleben der Frau

3.000 Fragebogen hat Shere Hite für ihren 1976 erschienenen Report „A Nationwide Study of Female Sexuality" ausgewertet. 3.000 Frauen sprachen aus, was sie beim Sex fühlen, erleben, was sie beim Sex erwarten. Ohne Scheu, ohne falsche Scham, ohne Tabus.

Sexuelle Selbstbefriedigung (Masturbation)

Die Leichtigkeit, mit der Frauen durch Masturbation zu einem Orgasmus kommen, widerspricht dem weitverbreiteten Klischee über weibliche Sexualität, wonach Frauen nur langsam erregbar sind und nur unregelmäßig einen Orgasmus haben. Wie Frauen masturbieren, ist einer der wichtigsten Schlüssel für das Verständnis weiblicher Sexualität: Da Masturbation meist allein ausgeübt wird und man sie in seltensten Fällen von jemandem lernt, basiert sie fast ausschließlich auf biologischen, instinktiven Reaktionen. Obwohl viele Frauen erst masturbieren, nachdem sie schon Geschlechtsverkehr gehabt haben, entdecken andere wiederum sehr früh dieses angenehme Gefühl: „Mir braucht niemand zu sagen, wo ich berührt werden muß, um einen Orgasmus zu haben, ich habe masturbiert, solange ich mich erinnern kann."
„Die Bedeutung der Masturbation" — so meint eine Frau im Hite-Report „liegt darin, ausschließlich sich selbst zu lieben, auf natürliche Weise eine Beziehung zum eigenen Körper herzustellen. Es ist eine normale Tätigkeit, die logischerweise im Leben jeder Frau eine Rolle spielen würde."

Von allen sexuellen Praktiken ist Masturbation diejenige, über die es am schwierigsten zu sprechen ist. Es ist erstaunlich, mit welcher Angst und mit welchen Schuldgefühlen, mit wieviel Furcht und Abscheu die Masturbation umgeben wird. Vor allem, wenn man bedenkt, wie weitverbreitet sie ist und auch wie entspannend, wohltuend und angenehm Selbstbefriedigung sein kann. Masturbation ist die sicherste und wirkungsvollste Art, organische Entspannung zu erreichen. Der Grund dafür liegt darin, daß nur „sie" daran beteiligt ist. Es gibt niemanden, der sie ablenken könnte oder dem sie gefallen müßte. Sie kann sich völlig auf sich selbst konzentrieren, sich soviel Zeit lassen, wie sie braucht. Alles hängt allein von ihr ab.
„Anständige Menschen tun so etwas nicht!" „Eine sexuell befriedigte Frau hat so etwas nicht nötig..." sind Gedanken, gegen die man am Anfang ankämpfen muß.
Lonnie Garfield-Barbach meint in ihrem Buch „for yourself": „Haben Sie einmal gelernt, Ihre Hemmungen zu überwinden und sich den physischen Empfindungen des Orgasmus mit Masturbation hinzugeben, werden Sie — wenn Sie wollen — eher fähig sein, bei Ihrem Partner auf ähnliche Weise zu reagieren. Die erfolgreiche Erfahrung, mit Masturbation zum Orgasmus zu gelangen, verhilft zu der positiven Erwartung, weitere Orgasmen allein und schließlich auch mit einem Partner zu erleben."

Liebe allein ist gut für die Liebe zu zweit.
Sich selbst zu lieben — nicht nur zu befriedigen — dieser Gedanke ist dem westlichen Denken weitgehend fremd.

Die Achtung und Fürsorge für die eigene Person ist die wichtigste Voraussetzung, um andere Menschen lieben zu können. Selbstbefriedigung heißt, den eigenen Körper in Besitz nehmen, in allen seinen Möglichkeiten schwelgen, bis zur Neige auskosten, was er an Vergnügen und erschöpflicher Freude in sich birgt.
Doch das fällt nicht immer leicht. Denn nicht nur der Einfluß von Kindheitserfahrungen — auch die jahr-

tausendealte Verteufelung der Selbstliebe hat tiefe Spuren in unserer Kultur und somit in uns hinterlassen. Im 18. Jahrhundert war Selbstbefriedigung die Wurzel für ziemlich alle Übel: Verstopfung, schwache Augen, Rückenmarksschwund, Pickel — um nur ein paar aufzuzählen. Kaum eine andere natürliche menschliche Handlung wurde jahrhundertelang so grausam verfolgt wie die Lust von eigener Hand.

Inzwischen hat die Wissenschaft aus ihren Irrtümern gelernt. Ihr positives Echo auf die selbsterzeugte Lust ist heute überwältigend. Der Wert für körperliches und seelisches Wohlbefinden ist heute unbestritten.

Selbstbefriedigung ist mehr als nur ein Notbehelf für sexuelle Dürrezeiten in der Partnerschaft oder Überbrükkungshilfe für die Phase des Alleinseins. Wem die Lust, die er aus sich selbst schöpft, nur Notlösung bedeutet, sagt damit, daß er sich selbst als zweite Wahl empfindet.

„Alle Lust, die es gibt, kannst du kennenlernen, indem du deine eigenen Zentren der Sinnlichkeit findest. Lerne dich selbst und deine Lust kennen, empfange durch sie, was du bist, denn nur so kannst du Lust geben, die du suchst, und die Lust genießen, die du empfängst." (Göttin Kali zu einem Schüler der altindischen Liebeskunst).

In ihrer Untersuchung über das sexuelle Erleben der Frau (Hite-Report, das sexuelle Erleben der Frau, Goldmann, Neuauflage 1987) hat Shere Hite sechs Grundtypen der Selbstbefriedigung (Masturbation) herausgefunden.

- Stimulierung der Klitoris- und Vulvazone mit der Hand, manchmal begleitet durch Einführung von einem oder mehreren Fingern in die Vagina, in der Rückenlage.

Zitate:
„Ich masturbiere mit den Fingern an der Klitoris und die anderen Finger zwicken und streicheln meine Brustwarzen. Die Klitoris muß unbedingt feucht bleiben. Manchmal reibe ich auf und ab, manchmal mit kreisförmigen Bewegungen. Meine Beine sind mal zusammen, mal gespreizt."
„Ich masturbiere im Bett, mit der Hand. Ich lege mich hin, streichle den ganzen Körper und gehe dann dazu über, mit sehr schnellen Bewegungen die Klitoris selbst zu berühren, manchmal auch nur rundherum."
„Ich genieße das Masturbieren, und gelegentlich plane ich es und freue mich dann darauf. Jetzt werde ich alt (ich bin sechzig) und masturbiere mit großer Selbstverständlichkeit, wenn ich Verlangen danach habe. Ich habe viele Arten der Selbstbefriedigung ausprobiert. In den letzten Jahren habe ich mich für die „Vibrator auf der Klitoris-Methode" entschieden. Den Vibrator kann ich abstellen, sobald der Höhepunkt erreicht ist."

- Stimulierung der Klitoris- und Vulvazone in der Bauchlage.

„Beim Masturbieren liege ich auf dem Bauch, die Beine leicht gespreizt. Ich benutze beide Hände, wobei die Knöchel der rechten Hand einen direkten Druck auf den Venushügel ausüben, während die linke Hand auf die rechte drückt, damit der Druck stärker wird. Eine mäßig schnelle Vor- und Zurückbewegung bewirkt die Reibung, die ich brauche, um die Klitoris zu stimulieren."

- Drücken und Reiben der Klitoris und Vulvazone gegen einen weichen

Gegenstand. Manchmal auch mit Vaginaleinführung.

„Wenn ich masturbiere, liege ich meist mit dem Gesicht nach unten im Bett und habe etwas Stoff zwischen den Beinen. Z.B. ein Leintuch oder eine Decke, die ich zu einem kleinen Hügel zusammenrolle, auf dem ich mich vor und zurückreibe."

„Ich liege auf dem Bauch und habe zwischen den Schenkeln einen Stoff fest zusammengerollt, gegen den ich den Venushügel presse. Dann stoße ich leicht, bis ich einen Orgasmus habe."

- Rhythmisches Zusammenpressen der Oberschenkel. Manchmal auch mit Vaginaleinführung.

„Ich liege flach im Bett, verschränke die Fesseln und presse die Schenkel rhythmisch zusammen, phantasiere und berühre die Brustwarzen, falls ich durch Schenkelzusammendrücken allein nicht zum Orgasmus gelange."

„Ich masturbiere durch Anspannen (Zusammenpressen) der Vaginalmuskeln. Im allgemeinen berühre ich die Klitoris nicht, das Zusammenpressen allein genügt."

- Wassermassagen der Klitoris- und Vulvazone. Manchmal mit Vaginaleinführung.

„Ich masturbiere im Wasser, vorzugsweise mit einem anderthalb Zentimeter dicken Strahl. Die Beine stemme ich gegen die Wand, und ich liege auf dem Rücken."

„Ich liege in der Badewanne auf dem Rücken und lasse das warme Wasser auf die Vagina, den Venushügel und die Klitoris fließen. Je härter der Druck und je heißer das Wasser, desto schneller kommt der Orgasmus."

- Vaginaleinführung. 15% der Frauen masturbieren durch Einführung eines oder mehrerer Finger, eines Vibrators oder eines Dildos (Gummipenis) in die Vagina.

„Ich masturbiere meist mit dem Finger und berühre mit der anderen Hand die Brüste."

Orgasmus

Von den Wellen der Lust ganz davongetragen zu werden, in tiefster Vereinigung mit dem Partner orgastische Höhen zu erleben — für viele Frauen bleibt das ein Traum, der mit der Wirklichkeit ihrer Liebeserlebnisse nichts oder nur wenig zu tun hat.

Sexualforscher beschreiben das zuweilen als „sexuelle Funktionsstörung" und sprechen damit eine sehr schmerzhafte Erfahrung vieler Frauen an: Sie fühlen sich unfähig, ungenügend, ungeliebt und im schlimmsten Fall sogar frigide. Sie verbergen diesen vermeintlichen Makel dadurch, daß sie ihre Frustration in sich verschließen, daß sie ihrem Partner Erregung vortäuschen, daß sie ihn nicht ahnen lassen, wie sie wirklich fühlen.

Ernsthaften Forschungsergebnissen zufolge ist davon keineswegs nur eine Minderheit betroffen, sondern mehr als die Hälfte der Frauen. Und daran hat sich in den letzten dreißig Jahren wenig geändert. Der Kinsey Report, die erste große Studie dieser Art (erschienen 1953), kam zu dem Schluß, daß dafür nicht etwa Orgasmusunfähigkeit der Frauen verantwortlich ist, sondern daß die sexuelle Lust der meisten Frauen durch normalen Geschlechtsverkehr nur sehr ungenügend stimuliert wird. Zitat von A. Kinsey: „Die Techniken der Masturbation und das Petting sind spezifischer auf das Erreichen eines Orgasmus ausgerichtet als die Techniken des Koitus selbst."

Im Hite-Report wird resümiert, daß nur 30% aller Frauen während der geschlechtlichen Vereinigung einen Orgasmus erfahren, wenn diese nicht durch andere Zärtlichkeiten ergänzt wird. „Unnormal" — braucht sich also keine Frau mehr fühlen. Es ist ziemlich offensichtlich, daß nicht sexuelle Störungen dafür verantwortlich sind (nur ein ganz geringer Prozentsatz von Frauen ist von solchen betroffen), sondern unangemessene sexuelle Vorurteile und Konzepte.

Um zu einem Orgasmus zu kommen, brauchen die meisten Frauen entweder direkte oder indirekte klitorale Stimulierung vor dem Koitus und manche die direkte auch während des Koitus. Die Unterscheidung zwischen klitoralem und vaginalem Orgasmus ist ein Mythos.

Phasen des sexuellen Reaktionszyklus: (nach Masters und Johnsohn)

Erregungsphase:

- Die Scheide wird feucht, weil die anschwellenden Blutgefäße eine klare Flüssigkeit durch die Scheidenwände pressen. Die Scheide weitet sich bis zu ihrem doppelten Durchmesser.
- Die kleinen Schamlippen schwellen an.
- Die Klitoris schwillt an, richtet sich auf und wird äußerst berührungsempfindlich.
- Die Brüste werden größer und empfindlicher, die Brustwarzen hart.
- Die Gebärmutter wird größer und bewegt sich hinauf ins Becken.
- Der Herzschlag beschleunigt sich; die Atmung wird heftiger.
- Die Haut kann sich röten, die Muskeln beginnen zu spannen, besonders im Genitalbereich.

Plateauphase:

- Während sich die hinteren zwei Drittel der Scheide erweitern, verengt sich das vordere Drittel. Diese Verengung bedeutet, daß man für das Eindringen des Penis bereit ist. Dieses vordere Drittel ist im Gegensatz zum hinteren Teil der Vagina sehr empfindlich.
- Der gesamte Genitalbereich schwillt weiter an, auch die Brüste werden größer.
- Die Gebärmutter bewegt sich ganz nach oben.
- Der Atem ist sehr schnell, die Muskeln spannen sich noch weiter und die Klitoris zieht sich unter ihre Vorhaut zurück.

Orgasmusphase:

- Der Orgasmus beginnt meistens mit einer unwillkürlichen Muskelkontraktion, die 2—4 Sekunden dauert. Drei bis fünfzehn weitere rhyhthmische Kontraktionen folgen. Jetzt sind die sexuellen Empfindungen am intensivsten. Auch Gebärmutter und Darm ziehen sich zusammen. Vor dem Orgasmus fühlen sich manche Frauen äußerst angespannt. Danach breitet sich wohlige Wärme und Entspannung aus.
- Rein physiologisch ist es möglich, bei entsprechender Stimulierung immer wieder zu einem Orgasmus zu kommen. Das Wissen um diese physiologische Fähigkeit bedeutet für viele einen Zwang, möglichst viele Orgasmen haben zu müssen. Jeder Zwang kann sich aber nur negativ auswirken.

Rückbildungsphase:

Während der folgenden halben Stunde entspannen sich die Muskeln, die Schwellung nimmt ab, Klitoris, Scheide und Gebärmutter gehen in ihre normale Stellung zurück.

Der Freudenfluß oder die weibliche Ejakulation

Während der sexuellen Reaktion verströmen viele Frauen zum Teil erhebliche Flüssigkeitsmengen. Der Sexualtherapeut Karl F. Stifter hat schlüssig nachgewiesen, daß das Phänomen des „Freudenflusses" früher in der Medizingeschichte einen wichtigen Raum einnahm, und daß die Sexualmedizin erst vor etwa zweihundert Jahren begonnen hat, diesen einfach zu vergessen bzw. zu verdrängen.
Biochemisch ist erwiesen, daß die verströmte Flüssigkeit nicht Harn ist, trotzdem vertreten noch viele Gynäkologen diese veraltete Meinung. Ursprung des weiblichen Ejakulats ist, K. Stifter zufolge, nach neuesten Erkenntnissen, die Annahme einer weiblichen Prostata.
Die weibliche Ejakulation ist eine völlig normale Sexualerscheinung. Daraus ableiten zu wollen, daß bei Frauen, die nicht ejakulieren, sexuell etwas nicht stimme, ist falsch. Vielmehr ist wichtig, daß Frauen Bescheid wissen und sich nicht verunsichern lassen. Egal, ob sie ejakulieren oder nicht! Genauso verhält es sich mit dem G-Punkt, jener vor einigen Jahren entdeckten erogenen Zone der Frau, um deren Existenz es damals heftige Diskussionen gegeben hat. Als G-Punkt wird das Areal an der Scheidenvorderwand, etwa 3—4 cm oberhalb der Harnröhrenöffnung, beschrieben, jener Ort der Scheide, der bei Erregung rauher wird und Querrillen bekommt.

Orgasmusschwierigkeiten

Das größte Hindernis, einen Orgasmus zu erleben, ist das Streben danach. Die Ursachen dafür — ernsthafte körperliche Störungen ausgenommen — liegen meist in unrealistischen Erwartungen.

Sex ist zwar vollkommen natürlich, aber nicht immer von Natur aus vollkommen, sagt Lonnie Garfield-Barbach.
Viele Frauen wissen nicht, was für Reaktionen ein Orgasmus hervorruft, sind aber der Ansicht, daß sie es von Natur aus wissen sollten, denn Sex ist angeblich ein normaler, animalischer Instinkt, der nicht erlernt werden muß. Es besteht also häufig die Tendenz, darauf zu warten, daß etwas passiert, daß es „klappt", ohne daß die Frau selbst etwas dazu tun muß.
Bücher und Filme lassen ein bestimmtes Klischee entstehen, dem sich jeder Heranwachsende, oft ohne es zu wollen, unbewußt unterwirft.
Frauen bemühen sich herauszufinden, was es bedeutet, „gut im Bett zu sein", und Männer versuchen, den allzeit bereiten, ewig siegreichen Sexprotz zu mimen.
In so einem Klima kann es leicht passieren, daß schon ein einziger „Versager" einen unglücklichen Teufelskreis in Gang setzt.
Ängstliche Spannung in einer sexuellen Begegnung macht einen befriedigenden Höhepunkt von vornherein unmöglich.
Solche Spannungen wirken sich bei Frauen und Männern unterschiedlich aus.
Beim Mann geht es sexuell vordergründig darum, eine Erektion zu bekommen und diese lange genug aufrechtzuerhalten. Ist diese Fähigkeit vorhanden, so erfolgt ein Orgasmus fast immer zwangsläufig.
Bei vielen Frauen wurzeln die Orgasmusschwierigkeiten in einer wenig lustvollen Beziehung zur eigenen Se-

xualität. Das hat oft mit Erziehung zu tun. Wenn Sexualität als „schmutzig" dargestellt wurde, wenn „anständige Mädchen so etwas nicht tun", wenn ihnen vermittelt wurde, daß Männer immer nur „das eine wollen", dem man aber widerstehen müsse, um seine Liebe nicht zu verlieren, dann entsteht daraus zwangsläufig eine falsche Einstellung zur Sexualität.

In einer einfühlsamen und hingabefähigen Partnerschaft kann man lustzerstörende Vorurteile abbauen. Der erste Schritt dahin ist eine positive Beziehung zum eigenen Körper, zur eigenen Lust. Wer Schwierigkeiten hat, erotisch zu empfinden, der soll sich — so empfehlen es Sexualtherapeuten — zunächst mit sich selbst vertraut machen. Zunächst sollte die Frau zu Hause in angenehmer Atmosphäre vor dem Spiegel ihren Körper ausführlich betrachten und ihn so mehr und mehr „in Besitz" nehmen. Bestimmte Bewegungs- und Tanzübungen (siehe Yogaübungen, Seite 29f.), die vor allem den Beckenraum stimulieren und den Atem bewußter machen, sind zu empfehlen. Nach dem Betrachten und Sich-Spüren kommt das Sich-Berühren als wichtige Entdeckung dazu. Man kann dabei herausfinden, welche Berührungen einem Lust bereiten (siehe auch Masturbation, Seite 74f.).

Schmerzen beim Geschlechtsverkehr

Sie können sowohl psychisch als auch physisch begründet sein.
Körperliche Ursachen sind:

- Entzündungen in der Scheide
- Zuwenig Gleitflüssigkeit
- Verengung des Scheideneingangs
- In seltenen Fällen kann es bei jungen Mädchen ein sehr widerstandsfähiges Jungfernhäutchen (Hymen) geben, das vom Penis nicht durchdrungen werden kann. Manchmal kann das sogar einen Stau des Menstruationsblutes verursachen. Unter Lokal- oder Vollnarkose kann das Jungfernhäutchen in diesen Fällen gespalten werden. Die Beschwerden hören dann auf.

Meistens sind die Ursachen der Schmerzen beim Geschlechtsverkehr und auch der Vaginismus (schmerzhafte Verkrampfung der Scheide beim Eindringen des Penis) psychisch bedingt.
Körperfeindliche Erziehung, ein Trauma in der Kindheit, Schuldgefühle, Ängste können u.a. Gründe dafür sein.
Wenn organische Ursachen ausgeschlossen werden können, ist wahrscheinlich eine Psychotherapie, die die Ursachen aufdeckt, die wirksamste Methode zur Lösung des Problems. Da die meisten Gynäkologen psychotherapeutisch nicht geschult sind, ist in solchen Fällen ratsam einen Psychotherapeuten bzw. Sexualtherapeuten zu Rate zu ziehen. (Adressen von psychosozialen Einrichtungen sind im Anhang angeführt.)

Empfängnisverhütung (Kontrazeption)

Nur etwa einen Tag im Monat kann die Eizelle im Körper einer Frau befruchtet werden, nur dann kann die Frau also schwanger werden. Wird das Ei nicht befruchtet, stirbt es ab. Erst nach dem nächsten Eisprung ist eine Befruchtung wieder möglich.
Die Fruchtbarkeit wird mit 25% pro Zyklus bei ungeschütztem Geschlechtsverkehr angegeben. Das heißt, von vier Frauen, die während ihrer fruchtbaren Tage ungeschützten Verkehr haben, wird eine schwanger.

Geschichtliches

Unter den mechanischen Mitteln der Kontrazeption gilt das Kondom als eines der ältesten. Bereits 1564 hat ein italienischer Gynäkologe, der Anatom Falopio, als erster eine genaue Beschreibung des Präservativs gegeben. Die Portiokappe wurde 1838 zum ersten Mal beschrieben und wurde anfänglich aus Kautschuk, später aus Gold- und Silberblech hergestellt. Im Jahre 1882 wurde von einem Flensburger Arzt erstmals das Diaphragma als zuverlässige Methode der Empfängnisverhütung erwähnt.
Die Empfängnisverhütung durch intrauterine Einlagen ist schon ein uraltes Prinzip. Im Altertum schon sollen arabische und türkische Kamelbesitzer kleine Steine in den Uterus ihrer Reittiere eingelegt haben, damit diese auf den langen Reisen nicht trächtig wurden. Die erste Beschreibung der Anwendung von intrauterinen Gegenständen zur Kontrazeption beim Menschen findet sich in den „Frauenkrankheiten" von Hippokrates.

Auch der Versuch, durch intravaginale Anwendung verschiedener Substanzen eine Empfängnis zu verhüten, ist schon Jahrhunderte alt. Die älteste Beschreibung findet sich in altägyptischen Papyri (1900 v. Christus). Bereits sehr exakte Anweisungen gibt Soranus, der berühmteste Gynäkologe des Altertums in der ersten Hälfte des zweiten Jahrhunderts nach Christi.
Die Kontrazeption auf hormonellem Weg ist noch nicht so alt. Die theoretischen Grundlagen für die Ovulationshemmung durch Hormone beruhen auf deutschen Arbeiten. Im Jahr 1921 wurde nach der Implantation von Schwangerschaftsgelbkörpern bei geschlechtsreifen weiblichen Tieren eine langwährende Sterilität erzielt. Die erfolgreiche Unterdrückung des Eisprungs bei der Frau mit täglich 20 mg Progesteron wurde 1944 mitgeteilt. 1954 wurde dieses Prinzip erstmals in der Praxis angewendet, nachdem oral wirksame synthetische Stoffe mit Progesteronwirkung entwickelt worden waren.

Welches Verhütungsmittel ist das beste?

Diese Frage läßt sich natürlich nur individuell beantworten. Aber es gibt doch einige Voraussetzungen, die ein Verhütungsmittel erfüllen sollte. Die wichtigsten Kriterien für die Beurteilung eines Verhütungsmittels sind: *Verträglichkeit, Wirksamkeit, Unschädlichkeit.*

Ein ideales Verhütungsmittel müßte demnach zuverlässig, unschädlich, bequem und billig sein und noch dazu jederzeit absetzbar. So ein ideales Verhütungsmittel gibt es zwar nicht, aber einige Methoden kommen diesen Forderungen schon sehr nahe (natürliche Methoden der Empfängnisverhütung, siehe Seite 83f.). Jede Frau muß jedoch mit ihrem Partner individuell die passendste Form der Verhütung finden. Den Erfahrungen nach eignet sich kein Verhütungsmittel für alle vier Jahrzehnte, in denen eine Frau schwanger werden kann.

Nach einer Untersuchung des bundesdeutschen Familienministeriums wird diese Erfahrung bestätigt, denn fast zwei Drittel aller Paare haben ihre Verhütungsmethode schon mindestens einmal gewechselt, weil sie im Laufe der Jahre neue Anforderungen an die Empfängnisverhütung stellten.

Bevor sich eine Frau für eine bestimmte Methode entscheidet, sollte sie sich gemeinsam mit ihrem Partner genau informieren, z.B. beim Arzt, in Familienberatungsstellen oder Frauengesundheitszentren (Adressen siehe Anhang).

Hier nun ein Fragenkatalog zur Entscheidungshilfe:

Wie sicher soll die Methode sein?

Wäre eine Schwangerschaft eine Katastrophe, dann ist eine Methode mit einer sehr hohen Sicherheit zu empfehlen — unter Umständen kommt da sogar eine Sterilisation in Frage.

Sollte die Frau später noch ein Kind wollen, so sind Methoden, die endgültig in die Fruchtbarkeit eingreifen, natürlich abzulehnen.

Ist es unangenehm, kurz vor dem Verkehr noch an Verhütung denken zu müssen?

Wenn ja, so spricht das z.B. gegen eine Barrieremethode wie Diaphragma oder Kondom.

Kommt es manchmal zu einem Partnerwechsel?

Wenn ja, ist die Verwendung von Kondomen empfehlenswert. Kondome schützen auch vor einer AIDS-Ansteckung.

Gibt es körperliche Voraussetzungen, die gegen eine bestimmte Methode sprechen?

Starke Raucherinnen z.B. sollten mit der Pille vorsichtig sein, bei einer Gebärmuttersenkung ist das Diaphragma nicht zu empfehlen, junge Mädchen, die noch nie geboren haben, können meist keine Spirale tragen.

Welches Gefühl ist mit einer bestimmten Verhütungsmethode verbunden?

Das Gefühl spielt nämlich auch eine große Rolle bei der Verträglichkeit und Sicherheit einer Methode. Empfindet die Frau bei einer bestimmten Methode eher Widerwillen, so ist diese Methode für sie auf Dauer sicher nicht empfehlenswert.

Apropos Sicherheit: *Alle Verhütungsmethoden sind nur dann wirklich sicher, wenn ihre Benutzer sich auch gut mit ihnen auskennen.* Es ist also unumgänglich, sich vor der Verwendung einer bestimmten Methode genau und umfassend zu informieren, wie sie funktioniert, welche Vor- und Nachteile sie hat, worauf man bei ihrer Benutzung achten muß usw.

Und noch etwas. Auch bei der größten wissenschaftlich belegten Sicherheit kann man eine Schwangerschaft nie zu 100% ausschließen.

Natürliche Methoden der Empfängnisverhütung

Die natürlichen Methoden der Empfängnisverhütung basieren auf der Kenntnis der fruchtbaren Tage im Zyklus. Durch exakte Selbstbeobachtung lernt die Frau die fruchtbaren von den unfruchtbaren Tagen zu unterscheiden. Vertrautheit mit dem eigenen Körper, Übung über längere Zeit und Selbstdisziplin sind dabei erforderlich.

Temperatur-Methode

Sicherheit bei korrekter Anwendung in Kombination mit der Schleimstruktur-Methode nach dem Pearl-Index*): unter 1.

*) Der Pearl-Index ist ein Maß für die Zuverlässigkeit einer Verhütungsmethode — sie wurde von einem amerikanischen Arzt namens Raymond Pearl entwickelt. Ein Pearl-Index von 5 bedeutet z.B.: 5 von 100 Frauen, die mit dieser Methode ein Jahr lang verhüten, werden schwanger. Ein Pearl-Index von 1 heißt demnach, daß von 100 Frauen, die diese Methode ein Jahr lang anwenden, eine schwanger wird.

Anwendung:

Täglich nach dem Aufwachen mißt die Frau am besten rektal (im After) ihre Körpertemperatur und trägt die Werte in eine Tabelle ein (siehe Grafik Seite 84). Am kurzzeitigen Temperaturabfall in der Mitte des Zyklus und dem folgenden Temperaturanstieg ist der Eisprung zu erkennen. Als „sicher" unfruchtbar gelten — und darüber sind sich Fachleute einig, die ersten 6 Zyklustage und ebenso jene ab dem 3. Tag nach dem Temperaturanstieg.

Vorteile:

- Keine Nebenwirkungen
- Die Frau lernt ihren Körper besser kennen
- Geringe Kosten
- Eignet sich auch zum Planen einer Schwangerschaft, da die fruchtbaren Tage bekannt sind.

Nachteile:

Zum zuverlässigen Messen der Aufwachtemperatur (Basaltemperatur) gehört:

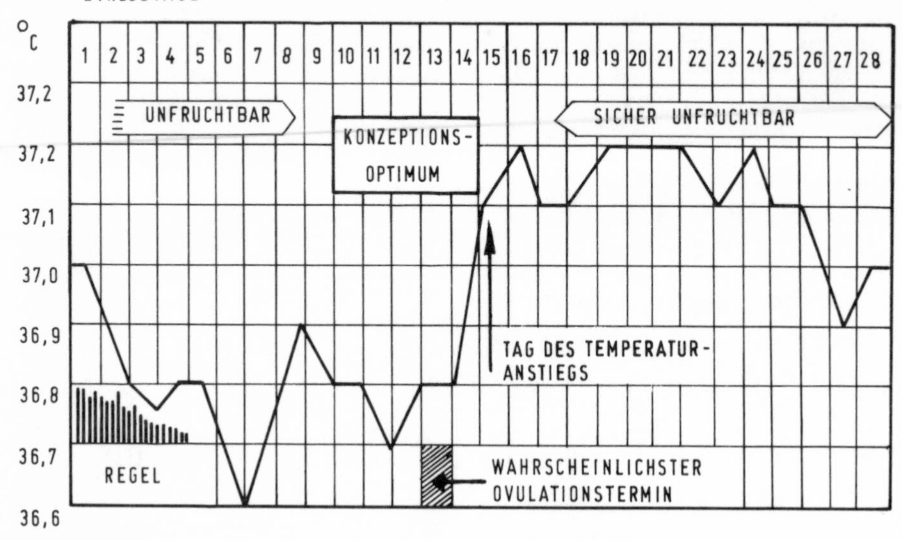

Veränderung der morgendlichen Körpertemperatur während des Zyklus
Nach: G. K. Döring, Empfängnisverhütung, 10., überarbeitete Auflage, Thieme-Verlag, Stuttgart 1986

- Disziplin,
- ein regelmäßiger Zyklus und
- ein einigermaßen regelmäßiger Schlafryhthmus.

Achtung: Eine Erkältung, zuwenig Schlaf, Alkoholgenuß am Vortag, Streß und viele andere Faktoren beeinflussen die Körpertemperatur und somit auch die Basaltemperatur und können zu Fehlinterpretationen des Kurvenverlaufs führen.

Schleimstruktur-Methode

Sicherheit bei korrekter Anwendung in Kombination mit der Temperatur-Methode nach dem Pearl-Index: unter 1.

Anwendung:

Jede Frau kann ihren Zyklusverlauf auch durch die unterschiedliche Menge der Schleimproduktion und durch die unterschiedliche Konsistenz des Muttermundschleims (Zervixschleims) beobachten. Der Schleimpfropf, der den ganzen Zyklus lang den Muttermund verschließt, löst sich kurz vor dem Eisprung auf, der Schleim fließt in die Scheide. An den unfruchtbaren Tagen ist nur wenig weiß-flockiger Schleim in der Scheide. Zum Zeitpunkt des Eisprungs wird die Schleimmenge größer und der Schleim „zieht Fäden". D.h. wenn die Frau ein wenig von diesem Schleim zwischen Daumen und Zeigefinger nimmt und diese Finger dann öffnet und schließt, bilden sich — wie bei feuchtem Klebstoff — Fäden, die nicht sofort reißen.
Der Schleim ist im allgemeinen an der Scheidenöffnung spürbar. Die Frau sollte nicht in die Scheide hineingreifen, da die Vagina gewöhnlich feucht ist und es so zu Fehlinterpretationen kommen kann.
Voraussetzung für die Anwendung

dieser Methode ist ein gesundes Scheidenmilieu. Die Verwendung von chemischen Produkten zur „Hygiene“ (Vaginalduschen, Sprays), aber auch Zäpfchen oder Salben zur Verhütung verändern die Schleimstrukur. Alle Beobachtungen sollten, wie die Basaltemperatur, aufgeschrieben werden.

Vorteile:

- Keine Nebenwirkungen
- Eignet sich auch zur Planung einer Schwangerschaft, da die fruchtbaren Tage bekannt sind.

Nachteile:

- Ohne Kombination mit anderen Methoden sehr unsicher
- Nicht geeignet für Frauen, denen das tägliche Schleimprüfen unangenehm ist
- Die Struktur des Schleims ist auch nicht immer leicht zu erkennen.

Streifentest aus der Apotheke

Seit kurzem gibt es zur Eisprungbestimmung auch einen Test, der ähnlich funktioniert wie die Schwangerschaftstests. Beim Streifentest gibt es keinen Pearl-Index.

Anwendung:

Der Teststreifen wird in den morgendlichen Harn gehalten. Aufgrund der Verfärbung läßt sich erkennen, ob der Eisprung schon stattgefunden hat oder nicht.

Vorteile:

Einfach zu machen.

Nachteile:

Relativ teuer.

Kalender-Methode (Tage zählen nach Knaus-Ogino)

Diese Methode kann aufgrund ihrer Unsicherheit eigentlich nicht als Verhütungsmethode bezeichnet werden; aus Gründen der Vollständigkeit sei sie hier trotzdem erläutert. Sicherheit nach dem Pearl-Index: 14 — 40 (!)

Anwendung:

Knaus und Ogino stellten fest, daß der Eisprung immer zwischen 12 bis 16 Tage vor der nächsten Menstruation stattfindet. Dieses Tagezählen beruht also auf Informationen aus dem vorangegangenen Zyklus, also auf dem Wissen, wann der letzte Eisprung stattgefunden hat.

Vorteile:

Sehr einfach zu machen.

Nachteile:

Versagerquote sehr hoch.
Keine Frau kann sich darauf verlassen, daß ihr gegenwärtiger Zyklus genauso abläuft wie der vorangegangene. Jede kleinste Entzündung, jede Grippe, jeder Ortswechsel, aber auch starke Emotionen können die Regelkreisläufe im Körper durcheinanderbringen.

Coitus interruptus

(Bevor es zum Samenerguß kommt, wird das männliche Glied aus der Scheide gezogen).

Auch diese Methode ist keine Verhütungsmethode.

Ganz abgesehen davon, daß dies für Mann und Frau seelisch sehr belastend sein kann, ist der Coitus interruptus sehr unsicher. Denn schon vor dem Samenerguß können oft unbemerkt Samenfäden austreten.

Hormonelle Methoden

Hormonelle Verhütungsmittel nehmen Einfluß auf die gesamten Vorgänge im weiblichen Körper. Das bei weitem immer noch beliebteste, weil sicherste Verhütungsmittel ist:

Die Pille

Sicherheit nach dem Pearl-Index: unter 1.

Durch Hormongaben wird der Eisprung unterdrückt (Ovulationshemmer). Außerdem verändert sich die Schleimhaut des Gebärmutterhalses und der Gebärmutter so, daß die Spermien an ihrer Wanderung in die Gebärmutter gehindert werden.
Frauen, die die Pille nehmen, haben keine „Regelblutung“ im eigentlichen Sinn, sondern eine „Hormonentzugsblutung“, die aus psychologischen Gründen einem 28-Tage-Zyklus angepaßt wird. Die normalen Fortpflanzungsfunktionen werden ruhiggestellt und blockiert.

Aufgrund der hormonellen Zusammensetzung unterscheidet man folgende Pillen-Arten:

- Die Ein-Phasen-Pille (Kombinationspräparat).
  Eine fixe Hormonkombination aus Östrogen und Gestagen wird 21 Tage lang eingenommen. Die Östrogengabe verhindert den Eisprung, und die Gestagene verwandeln den Schleimpfropfen am Muttermund in eine für Spermien undurchlässige Flüssigkeit. Dann wird eine Einnahmepause von 7 Tagen eingelegt. Durch den Hormonabfall löst sich die Gebärmutterschleimhaut. Die Blutung setzt ein.
- Die Zwei- oder Drei-Phasen-Pille.
  Die Hormonzusammensetzung der Zwei- oder Drei-Phasen-Pillen versucht sich am natürlichen Zyklus zu orientieren. In der ersten Phase enthalten die Pillen ausschließlich Östrogen, in der 2. Phase eine Kombination aus Östrogen und Gestagenen.

Anwendung:

Die Frau muß täglich eine Tablette schlucken.

Vorteile:

- Sehr sicher
- Keine Vorbereitung für den Verkehr notwendig.

Nachteile:

- Muß regelmäßig eingenommen werden
- Darf nicht vergessen werden
- Ständige hormonelle Beeinflussung des Körpers. Damit verbunden

eventuelle seelische Probleme, Nebenwirkungen wie Gewichtszunahme, Libidoverlust, Zwischenblutungen
- Bei Frauen über 35 und starken Raucherinnen, bei Bluthochdruck und Gefäßerkrankungen gesteigertes Gesundheitsrisiko (z.B. Thrombosen, d.h. Blutgerinnsel)

Die Mini-Pille

Sicherheit nach dem Pearl-Index: 1—5.

Die Minipille enthält im Gegensatz zu den vorweg geschilderten Pillen nur mehr ein Hormon, nämlich Gestagen. Der Eisprung wird nicht verhindert. Am Beginn verläuft der Zyklus ganz normal, wie sonst auch. Empfängnisverhütend wirkt die Minipille dadurch, daß sie den Schleim im Gebärmutterhalskanal verändert und für Samenzellen undurchlässig macht.

Anwendung:

Täglich immer zur gleichen Zeit eine Tablette schlucken.

Vorteile:

- Ziemlich sicher
- Keine Vorbereitung vor dem Verkehr notwendig
- Eisprung wird nicht unterdrückt

Nachteile:

- Muß jeden Tag zur gleichen Uhrzeit eingenommen werden.
- Schon bei einer um drei Stunden früheren oder späteren Einnahme keine zuverlässige Wirkung mehr
- Frauen, die die Minipille nehmen, haben oft Zyklusstörungen (seltenere, ausbleibende oder häufigere Regel), manchmal ständige Schmierblutungen.

Neuerdings wird auch die sogenannte „Pille der 3. Generation“ als „Mini“-Pille bezeichnet. Diese ist zwar eine herkömmliche Ein-Phasen-Pille, jedoch mit sehr geringem Östrogen- und Gestagenanteil. Die Bezeichnung „Mini-Pille“ ist dadurch verwirrend und kann zu Verwechslungen führen.

Die Dreimonats-Spritze

Sicherheit nach dem Pearl-Index: unter 1.

Mit der Dreimonats-Spritze wird eine große Menge an Gestagenen verabreicht, die ähnlich wie bei der Minipille wirken.

Anwendung:

Der Arzt verabreicht mittels Injektion in den Gesäßmuskel die vorgeschriebene Hormonmenge.

Vorteile:

Die Frau muß sich nur 4mal im Jahr um die Verhütung kümmern.
Diese Art der Verhütung wird vorwiegend in Entwicklungsländern verwendet. Bei uns werden Frauen, die sich krankheitsbedingt nicht selbst um die Empfängnisverhütung kümmern können, mit Dreimonats-Spritzen versorgt.

Nachteile:

- Die hohen Hormongaben greifen massiv in den Zyklus ein
- Es kommt oft zu Regelstörungen, die Regel kann auch ganz ausbleiben.

Die „Pille danach"

Sicherheit nach dem Pearl-Index: unter 1.

Die „Pille danach" verhindert nicht die Einnistung der Eizelle, sondern das Einnisten des befruchteten Eis in der Gebärmutterschleimhaut.

Anwendung:

Die Frau nimmt spätestens 48 Stunden nach dem ungeschützten Geschlechtsverkehr 2 Pillen einer neuen Antibabypillen-Packung (eines Kombinationspräparates — keine Zwei- oder Drei-Phasen-Pille!). Nach weiteren 12 Stunden werden noch 2 Pillen geschluckt. Bei späterer Einnahme keine sichere Wirkung. In 66% der Fälle treten keine Nebenwirkungen auf, bei 30% Brechreiz, davon in der Hälfte mit Erbrechen, bei 5,6% Müdigkeit, Bauch- und Kopfschmerzen.

Vorteile:

Eine Methode, die im Bedarfsfall eine ungewollte Schwangerschaft verhindern kann.

In der BRD und der Schweiz gibt es eigene „Pillen danach"-Pillenpackungen. In Österreich muß eine „normale" Pillenpackung (Kombinationspräparat) „angefangen werden".

Nachteile:

- Es können irreguläre Blutungen auftreten
- Vor mehrmaliger Anwendung innerhalb eines kürzeren Zeitraumes wird abgeraten
- Es muß auf jeden Fall die Normalisierung des Zyklus abgewartet werden
- Die Präparate haben starke Nebenwirkungen (siehe oben).

Barriere-Methoden

Den Barriere-Methoden liegt die Idee zugrunde, Samen- und Eizelle nicht zueinanderkommen zu lassen, also eine Barriere zwischen ihnen zu schaffen.

Das Kondom (Präservativ, Pariser, Verhüterli, Gummi, Überzieher)

Bei richtiger Anwendung Sicherheit nach dem Pearl-Index: unter 3.

Anwendung:

Unmittelbar vor dem Verkehr über das steife Glied streifen. Beim Kauf darauf achten, daß das Kondom mit einem samentötenden Wirkstoff beschichtet ist. Vor Gebrauch darf es nicht auseinandergerollt werden.

Vorteile:

- Keine gesundheitlichen Nebenwirkungen
- Hoher Schutz vor sexuell übertragbaren Krankheiten wie Trichomonaden, Chlamydien, etc. und natürlich insbesondere AIDS
- Die Fruchtbarkeit wird nicht eingeschränkt.

Nachteile:

- Zum Überziehen des Kondoms muß das Vorspiel unterbrochen werden
- Gleich nach dem Erguß muß der Mann sein Glied zurückziehen und das Kondom dabei festhalten. Diese Maßnahmen stören manche Paare.
- Kondome können (selten) reißen oder abrutschen.
  Eine 1989 durchgeführte Untersuchung einer Konsumentenschutzorganisation ergab, daß aufgrund der großen Nachfrage (AIDS) eine beträchtliche Anzahl der Kondome nicht einwandfrei waren. Es wurde eine behördliche Warenüberprüfung gefordert.

Das Diaphragma (Vaginalpessar)

Sicherheit bei korrekter Anwendung in Kombination mit samentötenden Gels oder Cremes nach dem Pearl-Index: durchschnittlich 4.

Anwendung:

Das Diaphragma ist eine Halbkugel aus weichem Gummi, die vor dem Muttermund in die Scheide eingesetzt wird. Das Diaphragma muß von einem erfahrenen Gynäkologen oder einer Gynäkologin angepaßt werden. Das Einsetzen sollte die Frau das erste Mal auch in Anwesenheit des Arztes üben. Zuverlässig ist das Diaphragma aber nur, wenn es in Kombination mit samentötenden Gels oder Cremen verwendet wird. Die Gummikappe wird vor dem Verkehr mit einem Gel oder einer Creme an der Innenseite bestrichen, eingesetzt und frühestens sechs Stunden später wieder entfernt.

Vorteile:

- Keine gesundheitlichen Nebenwirkungen
- Zusammen mit samentötenden Cremes oder Gels ziemlich sicher, wenn es richtig angepaßt ist
- Es kann schon einige Zeit vor dem Verkehr eingesetzt werden.

Nachteile:

- Nicht geeignet für Frauen, denen das Einsetzen des Diaphragmas und das Tasten nach dem Muttermund zur Kontrolle unangenehm ist
- Es darf frühestens sechs Stunden nach dem Verkehr entfernt werden.

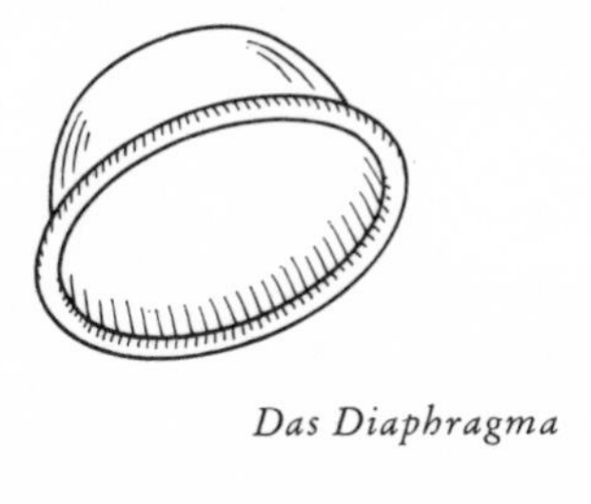

Das Diaphragma

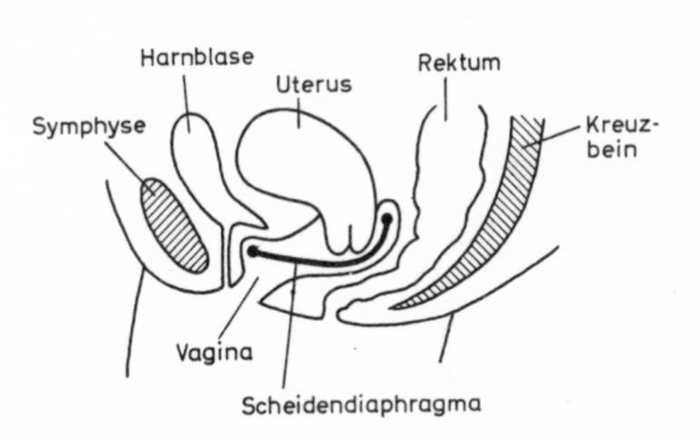

Quelle: G. K. Döring, Empfängnisverhütung, 10., überarbeitete Auflage, Thieme Verlag, Stuttgart 1986

Samentötende Zäpfchen, Cremes und Schaumpräparate (Spermizide Substanzen)

Zur Sicherheit: In der Literatur sehr unterschiedliche Angaben. Als Pearl-Index wird unter 1 bis 42 angegeben.

Anwendung:

Direkt vor dem Verkehr müssen Zäpfchen oder Cremes eingeführt werden. Dort erzeugen sie einen Schaum, der die Spermien unbeweglich macht.
Der Schaum verhindert das Aufsteigen der Spermien in die Gebärmutter und bildet quasi eine Barriere vor der Gebärmutter. Auch handelt es sich um eine spermientötende Substanz.

Vorteile:

- Keine gesundheitlichen Nebenwirkungen
- Schränken die Fruchtbarkeit nicht ein
- Schützen möglicherweise auch vor der Übertragung von Geschlechtskrankheiten und AIDS.

Nachteile:

- Zum Einführen muß das Vorspiel unterbrochen werden
- Die Präparate können auf der Schleimhaut jucken und brennen
- Geruch, Geschmack und ausfließende Creme können als störend empfunden werden
- Manche Frauen reagieren auf die Präparate mit Allergien.

Die Spirale (Intrauterinpessar, I.U.P.)

Sicherheit nach dem Pearl-Index: 1—5.

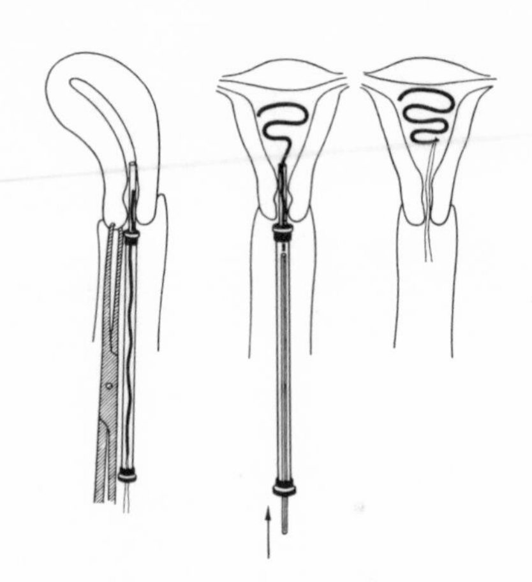

Einführung eines Intrauterinpessars (Spirale) in die Gebärmutter
Quelle: G. K. Döring, Empfängnisverhütung, 10., überarbeitete Auflage, Thieme Verlag, Stuttgart 1986

Die heute verwendeten IUPs haben kaum noch etwas mit den ursprünglich verwendeten Spiralen gemein. Sie sind aus Kunststoff, enthalten Kupfer, sind unterschiedlich geformt (z.B. T-Form) und haben Kontrollfäden, die bis in die Scheide hineinreichen. Die Spirale kann nur vom Arzt oder von einer Ärztin eingesetzt werden. Der empfängnisverhütende Effekt ist bis heute von der Wissenschaft noch nicht ganz geklärt.
Wahrscheinlich verhindert die Spirale durch ständige Reizung der Gebärmutterschleimhaut, daß ein befruchtetes Ei sich einnisten kann, und möglicherweise wird durch den Kupferdraht das Aufsteigen der Spermien verhindert.

Anwendung:

Die Spirale wird vom Arzt eingesetzt. Je nach Modell kann der I.U.P drei bis fünf Jahre in der Gebärmutter bleiben. Halbjährliche Kontrollbesuche beim Gynäkologen sind notwendig.

Schlecht geeignet ist diese Verhütungsart für junge Mädchen, die noch nie geboren haben.
Hingegen ist sie besonders für Frauen nach einer Geburt geeignet. Da keine hormonelle Beeinflussung besteht, kann die Frau auch ohne Bedenken stillen.

Vorteile:

- Ziemlich sicher
- Die Frau braucht sich je nach Modell 3 bis 5 Jahre nicht um die Verhütung kümmern
- Keine hormonelle Beeinflussung.

Nachteile:

- Erhöhtes Risiko für Unterleibsentzündungen und Eileiterschwangerschaften, deshalb nicht geeignet für Frauen, die noch ein Kind haben wollen
- Häufig haben Frauen auch verstärkte, längere und schmerzhafte Regelblutungen
- Das Einsetzen der Spirale kann, aber muß nicht, schmerzhaft sein
- Seelische Gründe können eine Unverträglichkeit bewirken.

Die Portiokappe

Sicherheit bei richtiger Anwendung nach Pearl-Index: durchschnittlich 7.

Diese Verhütungsmethode ist nicht sehr bekannt. Sie kommt vor allem für Frauen in Frage, die gerne ein Diaphragma benutzen wollen, aber z.B. wegen einer Gebärmuttersenkung keines verwenden können.

Früher verwendete man Kappen aus Metall und Hartplastik, die nur der Arzt einsetzen konnte. Jeweils vor und nach der Menstruation mußten die Frauen zum Arzt, um sich die Kappe herausnehmen und nachher wieder einsetzen zu lassen. Es entstanden Entzündungen und schlechter Geruch.

Heute hingegen sind diese Kappen aus weichem Gummi, und die Frauen können sie selbst einsetzen und entfernen. Voraussetzung: Die Kappe muß exakt angepaßt werden. Ist sie gut angepaßt, darf sie weder beim Geschlechtsverkehr noch beim Gehen zu spüren sein.

Anwendung:

Kann schon längere Zeit vor dem Geschlechtsverkehr eingesetzt werden

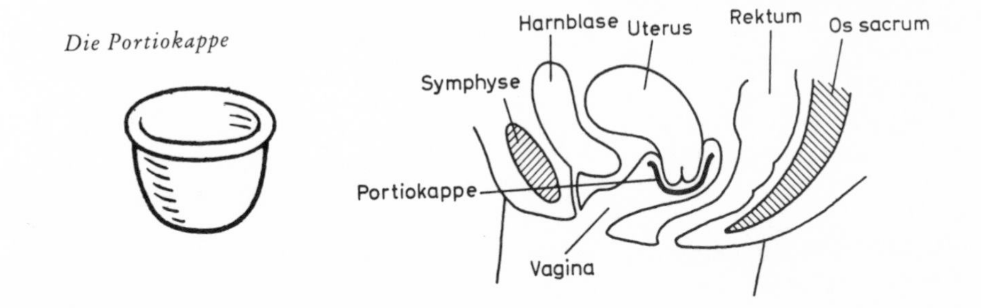

Die Portiokappe

Quelle: G. K. Döring, Empfängnisverhütung, 10., überarbeitete Auflage, Thieme Verlag, Stuttgart 1986

und soll außen und innen mit einer spermiziden Creme bestrichen werden.

Vorteile:

- Keine gesundheitlichen Nebenwirkungen
- Greift nicht in den Hormonhaushalt der Frau ein.

Nachteile:

- Ungeeignet für Frauen, denen das Einsetzen unangenehm ist
- Manche Frauen reagieren auch auf die samentötenden Cremes allergisch.

Schwämmchen mit Spermiziden

Sicherheit nach dem Pearl-Index: 3—15 (je nach Vertrautheit)

Anwendung:

Ähnlich dem Diaphragma wird das mit Spermizidsubstanz getränkte Schwämmchen, das auch ungefähr so groß ist wie ein Diaphragma, vor dem Geschlechtsverkehr eingeführt und vor den Muttermund gesetzt. Ein paar Stunden nach dem Verkehr wird es herausgenommen und gewaschen und kann wiederverwendet werden.

Vorteile:

- Bietet außerdem noch einen gewissen Schutz vor Infektionsübertragung und auch vor AIDS
- Keine hormonelle Beeinflussung
- Eine Alternative für die Pillenpause und bei unregelmäßigem Verkehr.

Nachteile:

- Ist nicht geeignet für Frauen, die eine Scheidensenkung oder eine nach hinten geneigte Gebärmutter haben.

Sterilisation der Frau (Tubensterilisation)

Sicherheit nach dem Pearl-Index: unter 1

Unter Sterilisation versteht man bei der Frau die Durchtrennung der Eileiter. Dazu ist ein operativer Eingriff notwendig.
Die Eileiter werden durchtrennt, abgebunden oder verschmort.

Es gibt verschiedene Möglichkeiten:

- Sterilisation gleich nach einer Geburt: sie hat den Vorteil, daß der Uterus noch hochsteht. Durch einen Schnitt im Nabel werden die Eileiter herausgefischt und durchtrennt.
- Sterilisation mit Hilfe des Laparoskops. Durch den Nabel wird das Laparoskop (optisches Gerät — Beschreibung siehe Anhang) eingeführt, die Eileiter werden im Bauch durchtrennt.
- Sterilisation durch die Scheide: Hinter der Gebärmutter, im hinteren Scheidengewölbe, wird ein kleiner Schnitt gemacht, die Eileiter werden von unten gefischt, in die Scheide gezogen und dort durchtrennt.

Vorteile:

- Sehr sicher, die Frau braucht sich nicht mehr um Empfängnisverhütung zu kümmern.

Nachteile:

- Die Operation ist schwerer als z.B. die Sterilisation des Mannes, weil

bei der Frau der Bauchraum geöffnet werden muß
- Eine stationäre Aufnahme ist manchmal notwendig
- Die Sterilisation ist auch kaum mehr rückgängig zu machen und kann bei verdrängtem Kinderwunsch zu schweren seelischen Problemen führen
- Die Rückoperationen sind kompliziert und nicht immer erfolgreich.

Sterilisation des Mannes

Sicherheit nach dem Pearl-Index: unter 1.

Zur Sterilisation des Mannes ist ein ambulant durchgeführter operativer Eingriff notwendig, bei dem die Samenleiter durchtrennt werden.
Im Gegensatz zur Sterilisation der Frau, wo die Unfruchtbarkeit sofort eintritt, kann mit der Wirksamkeit der Vasektomie erst nach zirka drei Monaten gerechnet werden.

Vorteile:

- Sehr sicher
- Der Mann braucht sich nie mehr um Verhütung zu kümmern.

Nachteile:

Die Operation ist kaum rückgängig zu machen. Sie ist also nur für Männer geeignet, die absolut kein Kind mehr haben wollen. Sonst sind schwere seelische Probleme die Folge.

Kontrazeption im Jahr 2000

Weltbevölkerung und Familienplanung *)

Die Menschheit benötigte sehr lange Zeit, um die erste Milliarde Individuen zu erreichen; dies war in der ersten Hälfte des 19. Jahrhunderts, wahrscheinlich um 1807 der Fall; die zweite Milliarde wurde 120 Jahre später erreicht, nur mehr 33 Jahre später die dritte und nur 14 Jahre danach die vierte Milliarde. 1987 gab es 5 Milliarden Menschen auf der Welt.
Sowohl die Vereinten Nationen wie auch die Weltbank schätzen, daß die Weltbevölkerung noch etwa 150 Jahre weiterwachsen wird, wenn auch immer langsamer: Sie wird im Jahr 2000 ca. 6,1 Milliarden betragen und im Jahr 2025 8,2 Milliarden erreicht haben. Am Ende des 21. Jahrhunderts wird sie sich zwischen 10 und 11 Milliarden einpendeln.
Ungefähr 95% dieses zukünftigen Bevölkerungswachstums wird in den Entwicklungsländern stattfinden, so daß bis zum Jahr 2100 nur 13% der Menschheit in Industrieländern, im Vergleich zu derzeit 25%, leben werden.
Nur mit Familienplanung allein wird man die Probleme der Entwicklungsländer sicher nicht lösen können.

*) *Nach Prof. E. Dickfalusy, Stockholm*

Trotzdem ist die Familienplanung ein wichtiges Element einer zielführenden Problemlösungsstrategie. Diese Tatsache scheint auch von den Entwicklungsländern anerkannt: In den frühen 60er Jahren besaßen nur sieben Regierungen ein Familienplanungsprogramm, in den frühen 80er Jahren unterstützten 120 Regierungen direkt oder indirekt derartige Maßnahmen.

Wieviele Menschen verwenden moderne Methoden der Geburtenregelung?

Nach einer Untersuchung der WHO (Weltgesundheitsorganisation) benutzten 1980/1981 nur 45% der gebärfähigen Frauen ein Kontrazeptivum. In den Entwicklungsländern waren es 38%, in den Industrieländern 68%, in Afrika allerdings nur 11%.
Die Auswahl der Verhütungsmethoden ist weltweit sehr unterschiedlich:
Intrauterinpessare haben in China sehr große Bedeutung, sind in den USA hingegen kaum verfügbar; orale Kontrazeptiva sind in Indonesien viel verbreiteter als in China oder in den USA. In China und den USA ist die Sterilisation eine bevorzugte Methode, in Indonesien wird diese kaum durchgeführt. Es muß jedoch erwähnt werden, daß selbst in den USA und China ein Drittel der Paare keine Fertilitätskontrolle betreibt; in Indien liegt der Anteil bei ca. zwei Drittel.
In diesen drei Ländern mit stark unterschiedlichem kulturellem Hintergrund werden 23—27% aller Schwangerschaften durch eine Abtreibung beendet. In Japan liegt diese Zahl bei 55%.
Allein aus diesen Zahlen wird ersichtlich, daß die Kontrazeption vor allem für die Entwicklungsländer noch mehr Bedeutung haben wird als bisher.
Die Entwicklung von Kontrazeptiva ist durch einen extrem langen Vorlauf bis zur Marktreife charakterisiert, es dauert mindestens 10 Jahre, manchmal sogar 20 Jahre, bis ein neues Produkt auf den Markt kommt. Das heißt, daß jede neue Methode, die sich zur Zeit noch nicht in der Phase der frühen klinischen Prüfungen befindet, in den nächsten 10 Jahren der Familienplanung auch nicht zur Verfügung stehen wird.

Die zukünftigen Methoden der Verhütung

Orale Kontrazeption

Am wichtigsten ist vermutlich die Pille der sogenannten 3. Generation, die wenig Östrogen und hauptsächlich „neue" Gestagene enthält (sogenannte „Mini-Pille").
Wegen des Verhältnisses zwischen Entwicklungskosten und den zu erwartenden Verbesserungen wird es wahrscheinlich keine 4. Generation an Gestagen-Pillen geben. Die Weiterentwicklung einer Pille, die z.B. bedeutend weniger Blutungsanomalien als die bereits im Handel erhältlichen Pillen verursachen soll, erfordert eine sehr große Zahl von Patientinnen, die sich für Tests zur Verfügung stellen, und einen sehr großen finanziellen Aufwand.
Medizinische Studien, die zur Zeit laufen, sollen in Zukunft bessere Infor-

mationen über die möglichen Risiken, aber auch die medizinischen Vorteile der Kontrazeption mit der Pille ermöglichen.

Hormonhaltige Vaginalringe

Sie enthalten entweder nur ein Gestagen oder ein Gestagen-Östrogen-Gemisch. Damit ergibt sich die wertvolle Möglichkeit der Eigenkontrolle: Je nach Reaktion ihres Körpers weiß die Frau, ob und wann ihr dieser oder jener Vaginalring bekommt oder nicht.
Solche Vaginalringe werden entweder zyklusangepaßt verwendet (3 Wochen tragen, Abbruchblutung ohne Ring, neuer Ring) oder sind zum längeren Gebrauch bestimmt. Wichtige Vorzüge: Die Wirkstoffbelastung ist äußerst gering, und die Ringe können von der Frau selbst eingesetzt und auch wieder entfernt werden.

Injizierbare Monatspräparate

Viele neue Präparate sind schon im Versuchsstadium. In der Regel werden sie alle zwei bis drei Monate verabreicht. Zur Zeit benutzen 4 bis 5 Millionen Frauen diese Methode (Dreimonats-Spritze). Im Jahr 2000 werden es schon wesentlich mehr sein.

Hormonhaltige Implantate

Bisher nahmen schon Tausende Frauen an Studien teil, die Wirkung und Nebenwirkungen solcher Implantate untersuchen. Das Prinzip ist einfach: Ein gestagenhaltiges Implantat wird unter die Haut gebracht. Dort bleibt es 3 bis 5 Jahre liegen und gibt Hormone ab.
Das Hauptproblem bei den bisher genannten Methoden sind die Nebenwirkungen in Form von unregelmäßig auftretenden Blutungen.

Die Abtreibungspille

Progesteron-Synthesehemmer und Antigestagene könnten in den 90er Jahren die dominierenden Produkte werden. Die neuesten klinischen Studien ergeben, daß die Erfolgsrate um die 90% liegt. Weitere Studien werden Behandlungsschemata optimieren und wahrscheinlich auch neue Indikationsgebiete (Zyklusregelung) erschließen.

Die Pille für den Mann

Die Pille für den Mann wird es vermutlich auch im Jahr 2000 noch nicht geben!
Die Vasektomie wird wohl auch weiterhin die einzig praktikable Kontrazeption für Männer bleiben. Zwar sind intensive Forschungsarbeiten im Gange, doch die derzeit bekannten medikamentösen Verfahren, die die Bildung von Spermien vorübergehend verhindern, beeinflussen auch die Manneskraft — ein Problem, dessen Lösung nicht in Sicht ist.
Die Aussichten einer Kontrazeption beim Mann sind also nach wie vor enttäuschend.

Zukünftige Entwicklungen

Und doch gibt es noch ein paar interessante neue Möglichkeiten der Empfängnisverhütung, die sich zur Zeit im Forschungsstadium befinden. Z.B. werden Experimente mit kontrazeptiven Impfstoffen durchgeführt. Auch sind neue Entwicklungen von Barrieremethoden zu erwarten. Diaphragma, Spirale oder auch Portiokappen sollen mit Minibatterien (Batterien wie in Herzschrittmachern), die ganz schwache elektrische Ströme (Gleichströme) erzeugen — im Milli-Ampèrebereich —, ausgestattet werden.
Tatsache ist, daß so geringe elektrische Spannungen spermizid (spermientötend), bakterizid, fungizid (pilztötend), aber wahrscheinlich sogar viruzid (virustötend) sind. Dies könnte eine weitere Verbesserung in Zusammenhang mit dem Schutz vor dem AIDS-Virus bedeuten.

Die AIDS-Epidemie hat neue Forschungsprioritäten auf dem Gebiet der Kontrazeption gesetzt. So hat zum Beispiel die WHO (Weltgesundheitsorganisation) folgende Prioritäten formuliert:

- Erstellung von Richtlinien zur Verhütung der Übertragung von HIV-Viren an das Pflegepersonal
- Empfehlung von speziellen Konzeptionsmethoden für Partner, bei denen entweder der Mann oder die Frau oder beide HIV-positiv sind
- Empfehlung spezieller Kontrazeptionsmethoden für AIDS-Patienten
- Erstellung von Nutzen-Risiko-Abschätzungen für die Benutzung unterschiedlicher kontrazeptiver Methoden bei Bevölkerungen mit hohen, mittleren und niedrigen HIV-Infektionsrisiken
- Neubewertung und Verbesserung von Barrieremethoden; sie könnten die Verbreitung von AIDS hemmen.

Störungen der Fruchtbarkeit

Was ist die „normale" Fruchtbarkeit?

Darunter versteht man die Konzeptionswahrscheinlichkeit in der Normalbevölkerung. Diese ist nicht größer als 20—25% pro Monat. Wenn man also 100 Paare beobachtet, die keine Verhütungsmittel anwenden und Geschlechtsverkehr an den fruchtbaren Tagen haben, so werden im ersten Monat der Beobachtung 20—25 Frauen schwanger. Größer ist die Fruchtbarkeit des Menschen nicht. Sie läßt sich auch kaum durch künstliche Mittel steigern. Viel eher wird die Fruchtbarkeit durch mannigfache Ursachen vermindert, vor allem durch solche, die das moderne Leben mit sich bringt. Der Streß, der von außen oder von innen kommen kann, spielt hier eine entscheidende Rolle. Durch ihn werden nicht nur die Sexualfunktionen, sondern auch andere Körperfunktionen wie Schlaf, Appetit, Herzschlag, Blutdruck, Hautdurchblutung und anderes mehr beeinflußt. Auch Umweltschadstoffe sollen die Fruchtbarkeit des Menschen vermindern.

Was die Fruchtbarkeit aber am meisten vermindert, ist paradoxerweise das gezielte Anstreben einer Schwangerschaft! Je mehr versucht wird, die Sexualität aufs Kinderzeugen hin bewußt zu steuern, indem z.B. die Frau ihren Unterleib innerlich dauernd beobachtet, den Eisprung mit verschiedenen Methoden registriert und dann gespannt auf die Regelblutung wartet, welche dann umso schmerzhafter und mit Depressionen begleitet eintritt, oder wenn der Mann vor dem Eisprung keinen Verkehr haben darf, beim Eisprung aber dann öfter einen Verkehr haben muß, dann ist es nicht verwunderlich, wenn Störungen der Sexualfunktionen auftreten. Überdies besteht die Gefahr, daß bei solchem Vorgehen die Liebe und Harmonie der Partnerschaft verloren geht. Deshalb wird geraten, mit den soeben beschriebenen Praktiken erst gar nicht anzufangen.

Denn wie entstehen die „normalen" Schwangerschaften meistens?
Mann und Frau lernen einander kennen, verlieben sich ineinander, und das körperliche Verlangen nacheinander in dieser Liebe steht ganz im Vordergrund, so daß Gedanken an ein gemeinsames Kind noch gar nicht oder erst sekundär vorhanden sind. Wenn nicht wirksam verhütet wird, bleibt irgendwann einmal die Regel aus und die Frau stellt bald überrascht fest, daß sie ein Kind erwartet. Es steht also meistens der Kinderwunsch nicht im Vordergrund.
Manche primitiven Völker kennen bis heute den Zusammenhang zwischen Geschlechtsverkehr und Kinderzeugung nicht genau, und gerade diese Völker bekommen besonders viele Kinder.
Wenn ein Paar etwa zwei Jahre lang ohne Empfängnisverhütung miteinander schläft und trotz Kinderwunsch sich kein Nachwuchs ankündigt, sollte sich das Paar untersuchen lassen. Und

zwar zu allererst der Mann. Denn: In 40% aller Fälle von ungewollter Kinderlosigkeit liegt die Ursache beim Mann. Erst wenn diese Untersuchung nichts ergeben hat, soll sich die Frau einer gynäkologischen Untersuchung unterziehen.

Gründe für die Sterilität der Frau:

- Seelische Faktoren — wie Streß, Abneigung gegen den Mann oder gegen den Geschlechtsverkehr oder gegen das Kinderkriegen überhaupt
- Hormonelle oder Zyklusstörungen (Zyklen ohne Eisprung, Mangel an Gelbkörperhormon)
- Störungen oder Erkrankungen der Vagina, z.B. häufige Scheidenentzündungen
- Verklebte, undurchlässige Eileiter
- Allergien gegen den Samen des Mannes
- Störungen oder Erkrankungen am Gebärmutterhals
- Gebärmuttermißbildungen
- Umweltstrahlung

Wir haben in vielen Kapiteln dieses Buches, wie z.B. bei der Krebsentstehung, auf die Beeinflussung durch Umweltfaktoren hingewiesen. Umweltgifte in Nahrungsmitteln, in der Luft sind eine Komponente. Dann gibt es aber noch das weite Gebiet der Strahlenbeeinflussung. Daß radioaktive Strahlen schädlich sind, daran zweifelt heute wohl kaum jemand. Anders ist es mit anderen geobiologischen Einflüssen (wie Wetter, Boden- und Milieureize).
Diese Erkenntnisse werden zum Beispiel in der Baubiologie schon jahrelang zur wissenschaftlichen Bestimmung guter bzw. schlechter Standorte für Wohnhäuser herangezogen. Auch im humanmedizinischen Bereich werden sie von einigen Ärzten beachtet.
Denn chronische Krankheiten, ständige Krankheitsanfälligkeit (aber z.B. auch Sterilität) kann auch geobiologische Ursachen haben.
Gut geschulte geobiologische Berater (Radiästhesisten) können zum Beispiel einen krankmachenden Schlaf- oder Arbeitsplatz aufspüren. Wird dann der Schlaf- oder Arbeitsplatz gewechselt, kann ein Verschwinden oder auch eine erhebliche Verbesserung der Beschwerden die Folge sein.
Wichtig ist es, einen gut geschulten Geobiologen zur Beratung heranzuziehen. Adressen und Literatur dazu finden sich im Anhang.

Behandlung von Fruchtbarkeitsstörungen

So vielfältig wie die Ursachen für Unfruchtbarkeit, so viele Möglichkeiten gibt es zur Behandlung (siehe Entzündungen, Seite 43f., Zyklusstörungen, Seite 23f.).

5 Alternativen zur Fruchtbarkeitssteigerung

1. Balneotherapie (Behandlung mit Moorbädern)

Balneologische Anwendungen zählen

zu den ältesten Heilmitteln der Medizin. Über erstaunliche Heilerfolge bei seinen Patientinnen kann Dr. med. habil. Hans Baatz berichten, der in Bad Pyrmont seit mehr als 30 Jahren Moorkuren durchführt. Von 330 seiner Patientinnen, die nach mehrjähriger Ehe und längerer Hormonbehandlung kinderlos waren, wurden 157 nach 2—3 Moorkuren schwanger.

Die Moorbäder können aber auch noch mehr für die Frau tun. Vor allem wenn sie mit Quellgasdurchströmungen und Massagen kombiniert sind, verbessern sie die sexuelle Reaktion. Auch ist eine positive Wirkung auf den Hautmantel nach einer Moorkur festzustellen. Die Haut wird klarer und weicher.

Auch bei chronischen Entzündungen des Genitalbereiches, bei schwachen und unterentwickelten Eierstöcken und Zyklusstörungen gibt es nach Moorkuren positive Veränderungen.

Moorkuren können in Kuranstalten unter ärztlicher Aufsicht gemacht werden.

Doch gibt es auch in der Apotheke gute Moorbäder für daheim zum Entspannen.

2. Heilkräuteranwendungen

Brennessel (Urtica dioicia)

Wird entweder als Brennesseltee (aus jungen Blättern) oder in Form von Brennesselsamen verwendet. Brennesselsamen enthalten östrogenähnliche Phytohormone.

Anwendung: Täglich 3 Tassen Tee trinken oder 1 Prise Brennesselsamen in jede Mahlzeit geben.

Zubereitung: 1 Handvoll Blätter mit 1 Liter kochendem Wasser übergießen, 5 Minuten ziehen lassen.

Frauenmantel (Alchemilla vulgaris)

Verwendet wird das Kraut während der Blütezeit.

Es ist eines der besten Heilkräuter für Frauen. Der „Träne“ in der Pflanzenmitte wird die stärkste Wirkstoffkonzentration nachgesagt.

Eigenschaften: krampflösend, schleimhautschützend, blutungsregulierend, gebärmuttermuskelstärkend, wundheilend.

Anwendung: 3 x täglich 10 bis 15 Tropfen Frauenmantel-Tinktur.

Zubereitung: Sie muß sehr sorgfältig erfolgen, denn die Wirkstoffe der Pflanzen sind hier hochkonzentriert.

Bei der Herstellung müssen die pulverisierten Pflanzen oder Pflanzenteile in 90%igem Alkohol mazerieren, das heißt 2 oder 3 Tage lang zur Auslaugung ruhen, danach werden sie durch ein sehr feines Tuch gefiltert.

Johanniskraut (Hypericum perforatum)

Verwendet wird das blühende Kraut.

Das Johanniskraut gilt als hochwirksames natürliches Psychopharmakon — es kann eine notwendige Psychotherapie aber nicht ersetzen!

Eigenschaften: stimmungsaufhellend, wundheilend, lebensstärkend, mild beruhigend.

Anwendung: 1 x pro Tag eine Tasse Tee.

Zubereitung: 20 g pro Tasse. Angegebene Menge mit kochendem Wasser übergießen, 5 Minuten ziehen lassen.

3. Vitamin E — das Fruchtbarkeitsvitamin (Tokopherol)

Tagesbedarf: 15—30 mg.

Bei Vitamin-E-Mangel kommt es bei Frauen häufig zu Fehl- und Frühgeburten. Vitamin E regt die Bildung nützlicher Blutbestandteile als Gefäßschutz an. Vitamin-E-Mangel kann

auch vorzeitiges Altern, Muskelschwund, Nervenleiden, aber auch Sterilität bewirken.
Vitamin E beeinflußt im Körper die Fortpflanzungsfähigkeit, den Zellstoffwechsel, den Sauerstoffhaushalt und ist ein Schutzstoff vor Umweltgiften.
Vitamin E findet sich in grünem Blattgemüse, Pflanzenölen, Sojaprodukten, Getreideprodukten, Milch, Fleisch, Innereien (Achtung wegen hohem Schadstoffgehalt, z.B. Cadmium; nicht zu häufig essen) und auch in Brunnenkresse.

4. Meditation — Yoga — Tanzen

Meditation

Viele Formen der Meditation sind aus dem Fernen Osten zu uns gelangt, wo sie seit Jahrtausenden zur religiösen, philosophischen aber auch zur heilkundlichen Erziehung gehören (vorwiegend von Männern).
Heute gibt es von amerikanischen und europäischen Frauen in Gesundheitszentren und Selbsthilfegruppen entwickelte, speziell auf weibliche Bedürfnisse ausgerichtete Meditationsformen. Sie sollen ihnen helfen, ein tieferes Bewußtsein für die eigene Körperlichkeit, das Frausein, für die eigene Sexualität zu gewinnen, seelische und geistige sowie körperliche Verspannungen zu lösen, den ruhenden Pol in sich selbst zu finden und daraus neue Kräfte zu schöpfen.

Yoga- und Tanzübungen — siehe Seite 29 f.

5. Lunaception

Bestimmt ist es mehr als nur ein Zufall, daß der weibliche Zyklus den Wechsel der Mondphasen nachzeichnet. Auch der Zyklus läuft in vier Phasen ab: die Eireifungsphase, die Ovulationsphase, die vormenstruelle Phase und die Menstruation (zunehmender Mond, Vollmond, abnehmender Mond, Neumond). Die Frauen von Naturvölkern haben fast immer ihren Eisprung zum Vollmond, sie menstruieren bei Neumond.

In den hochzivilisierten Ländern ist es schwer, mit dem Mond im Einklang zu leben. Künstliches Licht schwächt die Kraft der Gestirne. Trotzdem ist es möglich — das wissen mit dieser natürlichen Verhütungsmethode Vertraute.

Damit Lunaception möglich ist, muß die Frau ihren Zyklus vom Verlauf der Morgentemperaturkurve (siehe Seite 84) her kennen. Am 14. Tag nach dem Einsetzen der Periode bleibt drei Nächte lang im Schlafzimmer ein Licht brennen (nicht grell, aber es sollte durch die geschlossenen Augenlider wahrnehmbar sein). Während der übrigen Nächte sollte das Schlafzimmer möglichst dunkel sein. Dichte Vorhänge oder ein schwarzes Rollo sperren Licht aus.

Man muß viel Geduld haben, es dauert sicherlich einige Zyklen, bis die Stimulation des Lichtes wirkt. Auf der Temperaturkurve werden auch die Vollmond- und Neumondnächte eingetragen. Im Laufe der Monate wird sich der Zyklus der Frau jenem des Mondes angleichen. Der Eisprung findet dann bei Vollmond (helles Licht) statt. Die Frau weiß, wann ihre fruchtbaren Tage sind.

Der unerfüllte Kinderwunsch

„Kein Kind bekommen zu können“ ist ein Problem, welches jemand, der es nicht hat, nur schwer verstehen kann. Die meisten Menschen halten nämlich Fruchtbarkeit für etwas Selbstverständliches und fürchten sich eher vor einer ungewollten Schwangerschaft als vor Kinderlosigkeit.
Wenn die erhoffte Schwangerschaft ausbleibt, fühlt die Frau — meistens früher und stärker als der Mann — einen zunehmenden Leidensdruck, ein Gefühl des Versagens, eine Art Kränkung des weiblichen Selbstwertgefühls. Diesen Druck auszuhalten ist für sie nicht leicht, da sie sich mit diesem Problem nicht jedem mitteilen kann, wie mit einer „normalen“ Krankheit. Aus Scham oder falschem Schuldgefühl heraus glaubt sie, das Problem geheimhalten zu müssen, und versucht es vielleicht zunächst zu verdrängen oder zu verleugnen. Umso belastender sind dann für sie die neugierigen Fragen der Verwandten und der Freunde, wie es denn um den Nachwuchs bestellt sei.

Die Gedanken kreisen immer mehr um das Problem der Fortpflanzung und bewirken, daß der Geschlechtsverkehr zunehmend geplant an den fruchtbaren Tagen der Frau vollzogen wird. Dadurch verliert die Sexualität meistens ihre Spontaneität, und das Spielerisch-lustvolle weicht der Pflichterfüllung. Das kann auf Dauer eine zusätzliche Belastung für die Partnerschaft werden, und das Paar kommt zu einem Punkt, an dem es glaubt, alleine nicht mehr weiter zu können. Das ist meist der Zeitpunkt, wo ärztliche Hilfe gesucht wird, und wieder ist es oft zuerst die Frau, die zum Arzt geht. Von diesem erfährt sie aber bald, daß die Sterilitätsursache auch beim Mann liegen kann, worauf sich der Mann früher oder später auch untersuchen läßt. Diese Phase der ersten Untersuchung und gegebenenfalls ersten Behandlung wirkt sich zumeist sehr positiv auf das Paar aus, da es nicht mehr so allein ist mit seinem Problem und Hilfe in Aussicht gestellt ist; tatsächlich werden viele Frauen schon in dieser ersten Untersuchungs- bzw. Behandlungsphase schwanger.
Stellt sich aber heraus, daß aufgrund der Befunde oder der bisherigen Behandlungen keine oder fast keine Chance besteht, auf normalem Weg ein Kind zu bekommen, so können heute künstliche Befruchtungsmethoden in Erwägung gezogen werden.

Retortenbefruchtung außerhalb des Mutterleibs — was geschieht dabei und für welche Frauen ist sie geeignet?

Eine Befruchtung außerhalb des Mutterleibs — In-vitro-Fertilisation (IVF) — kommt vor allem für Frauen in Frage, deren Eileiter verschlossen sind. Aber auch für Frauen, bei denen wegen einer Eileiterschwangerschaft eine oder beide Eileiter entfernt werden mußten, können behandelt werden. Ebenso Frauen, deren Eileiter zwar durchgängig, wegen Verwachsungen und Entzündungen jedoch nicht ausreichend beweglich sind.
Voraussetzung ist natürlich, daß mindestens ein Eierstock vorhanden ist. Außerdem kann die Methode auch

bei Ehepaaren angewandt werden, bei denen der Kindersegen bisher deshalb ausgeblieben war, weil der Organismus des Mannes zu wenig gesunde Samenzellen produziert. Bei der Befruchtung im Reagenzglas wird dafür gesorgt, daß genügend Samenzellen zur weiblichen Eizelle gelangen.

Es gibt mehrere Formen der künstlichen Befruchtung:

- Bei der homologen IVF stammen Eizelle und Samen von den beiden Ehepartnern.
- Bei der heterologen IVF stammt die Eizelle von der Frau, die den Kinderwunsch hat, der Samen wird von einem Spender gespendet. Diese Form der IVF kommt dann in Frage, wenn zusätzlich zum Eileiterverschluß (Behinderung des Eileiters) beim Partner eine Fertilitätsstörung (schlechte Samenqualität) vorliegt.
- Leidet nur der Mann unter einer Fertilitätsstörung, so genügt eine sogenannte heterologe Insemination. Darunter versteht man das Einspritzen von gespendetem Samen vor oder in die Gebärmutter mit einem Katheter.
- Dann gibt es auch noch die Möglichkeit einer IVF mit gespendeter Eizelle (bei Fehlen der eigenen Eierstöcke oder Weitergaberisiko von Erbkrankheiten).
- Bei der doppelt heterologen IVF stammen schließlich Samen und Eizelle von Spendern („Embryospende“, „pränatale Adoption“). Diese Methode ist in jenen seltenen Fällen die einzig mögliche, wo beide Partner unfruchtbar sind.

Die Durchführung einer IVF

Der erste Teil der Behandlung besteht in einer Hormonbehandlung, durch welche die Eierstöcke stimuliert werden, damit mehrere Eizellen heranreifen.

Zum Zeitpunkt des Eisprungs, der durch Ultraschall oder Hormonuntersuchungen genau bestimmt wird, werden Eizellen entnommen. Entweder mittels Laparoskopie (siehe Seite 114) unter Vollnarkose (schon veraltete Methode) oder mit Hilfe einer Ultraschall-Vaginalsonde (ohne Narkose). Das reife Ei kommt in eine Nährflüssigkeit und wird mit den Samenzellen zusammengebracht. Dann werden Samen und Eizelle sofort in einen Brutschrank gelegt. Ein bis zwei Tage später ist es soweit. Falls die Zeugung gelungen ist, zeigt die Eizelle Kerne als Zeichen der Befruchtung oder beginnt bereits, sich zu teilen; die Eizelle befindet sich dann im Vier- oder Achtzellenstadium. Dieser „Embryo“ wird unter dem Mikroskop in einen Katheter aufgezogen und in die Gebärmutter gebracht. Anschließend muß die Frau einen Tag Bettruhe einhalten.

Nun ist die Chance, daß auch tatsächlich eine Empfängnis eintritt, so groß wie bei zwei gesunden Partnern, die Geschlechtsverkehr zum Zeitpunkt des Eisprunges hatten, nämlich 20 bis 25%. Die eingepflanzte(n) Eizelle(n) entwickeln sich weiter. Entweder sie nisten sich ein oder gehen mit einer Regelblutung (manchmal auch verspätet) ab. Dieses Absterben einer befruchteten Eizelle kommt auch bei der natürlichen Empfängnis vor.

Im Falle einer Schwangerschaft ist diese genau gleich wie eine natürliche Schwangerschaft, mit den gleichen Chancen und auch Risiken.

Eine IVF-Behandlung erfordert Geduld und Ausdauer, denn nicht jeder Versuch ist erfolgreich. Oft sind mehrmalige Behandlungen notwendig. Die Erfolgschancen, durch IVF schwanger

zu werden, liegen bei 10—20% nach dem ersten Versuch.
Die IVF hat neue Möglichkeiten für die Behandlung des unerfüllten Kinderwunsches eröffnet, damit aber auch neue ethisch-moralische und rechtliche Probleme geschaffen.
Jeder und jede Betroffene muß für sich selbst entscheiden, ob dieser Weg für sie bzw. ihn der richtige ist oder ob nicht auch eine Adoption eines Kindes für das Paar in Frage kommt.

Probleme in der Frühschwangerschaft

Als Frühschwangerschaft bezeichnet man die ersten 12 Schwangerschaftswochen, gerechnet vom letzten Regeltermin.
Da die Zeit der Frühschwangerschaft (die ersten 12 Schwangerschaftswochen) auch zur Gynäkologie und nicht zur Geburtshilfe, die wir hier nicht behandeln, gezählt wird, wollen wir in unserem Buch auch darauf eingehen.

Schwangerschaftstests

Frauen können heute sowohl die gewollte als auch eine nicht gewollte Schwangerschaft schon zu einem sehr frühen Zeitpunkt feststellen. Es gibt viele verschiedene Arten der Schwangerschaftstests (Streifentest, Polsterltest), die man in der Apotheke kaufen kann und die relativ einfach zu machen sind.
Der Teststreifen oder das Polsterl, die mit Reagenz getränkt sind, zeigen, nachdem sie mit Harn beträufelt oder in den Harn getaucht worden sind, mit einer Farbe an, ob der Test positiv oder negativ ist. Diese Tests beruhen auf einer immunologischen Reaktion. Sie weisen die Ausscheidung von Schwangerschaftshormon nach.
Mit einer Blutuntersuchung kann man die Empfängnis 10 Tage „danach" feststellen; bei einem normalen Schwangerschaftstest kurz vor Ausbleiben der Regel.

Fehlgeburt

Unter Fehlgeburt versteht man den spontanen Abgang des Embryos während der ersten 28 Schwangerschaftswochen.
Wird eine Schwangerschaft zwischen der 29. und 37. Woche beendet und liegt das Geburtsgewicht des Kindes unter 2.500 Gramm, ist von einer Frühgeburt die Rede.
Rund 70% aller Fehlgeburten ereignen sich während der ersten zwölf Schwangerschaftswochen. Da eine Fehlgeburt während dieser Zeit einer verstärkten Menstruation ähnelt, wird sie in vielen Fällen, und zwar immer dann, wenn die Frau selbst vom Bestehen der Schwangerschaft gar nichts weiß — oft gar nicht einmal bemerkt. Erst nach dem 4. Monat geht die Fehlgeburt ähnlich vor sich wie eine Geburt — mit Wehen, Blasensprung, Eröffnung, Austreibung und Nachgeburt.
Als häufigste Ursachen für eine Fehlgeburt sind bekannt:

Bei der Frau:

- Muskelgeschwülste (Myome)
- Verwachsungen oder Mißbildungen der Gebärmutter
- Mangel an Vitaminen oder Gelbkörperhormonen
- Hochfieberhafte Erkrankungen
- Toxoplasmose
- Syphilis
- Viruserkrankungen
- Blutgruppenunverträglichkeit zwischen Mutter und Kind.

Aufregung, Schreck und äußere Gewalteinwirkung führen wesentlich seltener als allgemein angenommen zu Fehlgeburten.

Beim Kind:
Auch vom Kind können Störungen ausgehen, die zu einem spontanen Ende der Schwangerschaft führen. z.B.

- Sauerstoffmangel
- Vergiftungen
- Strahlenschäden
- Entwicklungsstörungen
- Erbschäden und Viruserkrankungen.

Kommt es während des zweiten Schwangerschaftsdrittels zu einer Fehlgeburt, so ist nicht selten eine Schwäche des Gebärmutterhalses der Grund (Zervixinsuffizienz).
Die drohende Fehlgeburt kündigt sich durch Unterleibs- und Kreuzschmerzen an sowie durch leichte Blutungen, die immer stärker werden. Nach einigen Tagen kommt es zum Austritt geronnenen Blutes, die Fruchtblase platzt, Fetus und Mutterkuchen werden ausgestoßen.
Fehlt die Plazenta ganz oder teilweise, spricht man von einem unvollständigen Spontanabort. In so einem Fall müssen die fehlenden Gewebsreste aus der Gebärmutter mit einer Kürettage entfernt werden.

Nicht immer jedoch muß eine drohende Fehlgeburt zu einem Abort führen. Bei rechtzeitiger ärztlicher Hilfe läßt sich eine gefährdete Schwangerschaft vielleicht sogar retten. Kommt es aber trotzdem zu einer Fehlgeburt, sollte die Frau mindestens 2 Menstruationszyklen abwarten, bis sie erneut schwanger wird, da erst nach 2 Menstruationszyklen der Muttermund wieder geschlossen ist.
Das Risiko einer erneuten Fehlgeburt ist in solchen Fällen kaum größer als bei einer Frau, die noch nie eine Fehlgeburt hatte. Erst bei mehreren aufeinanderfolgenden Fehlgeburten spricht man von einem „gewohnheitsmäßigen Abort“ oder „habituellen Abort“.

Habitueller Abort

Sehr häufig liegt der Grund für immer wiederkehrende Fehlgeburten in Chromosomenanomalien (des Mannes oder der Frau), d.h. in Störungen der Erbfaktoren begründet. Auch können, und das weiß man erst seit kurzem, immunologische Abwehrstoffe schuld sein.

Immunologische Ursachen für den habituellen Abortus

Die Schwangerschaft ist ja an sich (durch den Erbanteil des Mannes) ein Fremdgewebe im Körper der Frau. Eigentlich müßte jede Frau dieses Fremdgewebe abstoßen, genauso wie bei Organtransplantationen das Spenderherz, die Spenderniere vom Empfänger abgestoßen werden müßte.
Ähnlich den Medikamenten, die man bei einer Nieren- oder Herztransplantation gibt, damit der Körper das Fremdgewebe nicht abstößt, bildet der Körper der Frau in der Gebärmutterschleimhaut einen Art Schutzfaktor

aus, nachdem er die Schwangerschaft als Fremdgewebe erkannt hat. Woraus dieser Schutzfaktor wirklich besteht, darüber sind sich die Wissenschafter noch nicht im klaren. Fest steht, daß es so einen Schutzfaktor geben muß, der verhindert, daß die Körperabwehr der Frau die Schwangerschaft abstößt. Sind nun die Bluteigenschaften des Mannes (Kindesvaters) jenen der Frau zu ähnlich (nicht nur die Blutgruppe, es gibt noch viele andere Bluteigenschaften), dann ist auch die Leibesfrucht zu ähnlich. Der Körper der Frau sieht die Schwangerschaft nicht als Fremdkörper an und bildet keinen oder zuwenig Schutzfaktor. Die Folge kann ein Abort, also die Abstoßung der Schwangerschaft, sein.
Wenn diese Frau von einem anderen Mann mit anderen Bluteigenschaften schwanger würde, käme es wahrscheinlich zu keiner Fehlgeburt.

In England und Frankreich wurden neue Behandlungsmethoden bei immunologischen Problemen in der Frühschwangerschaft entwickelt.
Die Frau wird mit den weißen Blutkörperchen ihres Mannes geimpft (immunisiert). Diese Behandlung kann auch noch nach der Empfängnis gemacht werden (als Rettungsversuch). Durch diese Immunisierung wird es Frauen möglich, die Schwangerschaft auszutragen (auch wenn die Bluteigenschaften des Partners sehr ähnlich sind).

Mädchen sind robuster als Buben — und das schon bei Fehlgeburten

Während das Verhältnis bei lebendgeborenen Kindern 100 Buben zu 106 Mädchen beträgt, kommen auf 100 fehlgeborene Mädchen 160 Buben. Manche Wissenschafter machen dafür die überlegene körperliche Robustheit des weiblichen Feten verantwortlich. Eine Überlegenheit, die nach ihrer Ansicht auch das weitere spätere Leben anhält und sich nicht zuletzt in der längeren Lebenserwartung der Frau niederschlägt.

Extrauterinschwangerschaften, Schwangerschaften außerhalb der Gebärmutter

Während sich eine Eizelle normalerweise nach der Befruchtung in der Gebärmutter einnistet, kann es in einem von 100 Fällen vorkommen, daß die Einnistung auch im Eileiter, im Eierstock oder sogar in der Bauchhöhle stattfindet.
Jede Form einer solchen Extrauterinschwangerschaft ist für die betroffene Frau sehr gefährlich.
Frühes Erkennen (z.B. mittels vaginalem Ultraschall, siehe Seite 116) und sofortige ärztliche Hilfe können lebensrettend sein.

Eileiterschwangerschaft

Das befruchtete Ei nistet sich im Eileiter ein und entwickelt sich dort weiter. Die häufigste Ursache für Eileiterschwangerschaften ist die Verengung des Eileiters. Die sehr kleinen Samenzellen können auf ihrem Weg von der Scheide durch die Gebärmutter zwar in den Eileiter vordringen und auch die Verengung passieren. Dem etwa 250.000mal so großen Ei jedoch gelingt das nach der Befruchtung auf dem umgekehrten Wege nicht mehr.
Für die Frau entwickelt sich die Eileiterschwangerschaft zunächst wie eine ganz normale Schwangerschaft. Die monatliche Blutung bleibt aus, morgendliche Übelkeit und gelegentliches Erbrechen können wie auch bei der normalen Schwangerschaft auftreten. Doch bald stellen sich die typischen

Symptome ein: Einseitige Schmerzen im rechten oder linken Unterbauch, dazu kommen etwa sieben Wochen nach der letzten Regel meist leichte Blutungen. In so einem Fall ist unverzüglich der Arzt bzw. die Ärztin aufzusuchen.
Eine Eileiterschwangerschaft läßt sich mit Hilfe einer Bauchspiegelung (siehe Seite 111) oder mit vaginalem Ultraschall diagnostizieren. Die nachfolgende Behandlung soll verhindern, daß der Eileiter platzt.
Platzt der Eileiter, bevor der Arzt bzw. die Ärztin erreicht wird (Tubenruptur), treten stechende Schmerzen, akute Schwächeanfälle, eine spürbare Verhärtung der Bauchdecke auf. Es kommt zu lebensgefährlichen Blutungen in der Bauchhöhle. In so einem Fall kann nur eine sofortige Operation helfen, da sonst die Gefahr des Verblutens besteht.
Es gibt drei Möglichkeiten, eine Eileiterschwangerschaft zu behandeln, wobei die Methode je nach Größe und Stadium der Schwangerschaft zu wählen ist.

- Operation mit Eröffnung des Bauchraumes und Entfernung des Eileiters samt Schwangerschaft:
  Dieser Eingriff wird unter Vollnarkose durchgeführt. Die Frau muß 5—7 Tage im Spital bleiben und fühlt sich „operiert“.
- Operation mit Eröffnung des Bauchraumes.
  Ist die Schwangerschaft noch nicht so weit fortgeschritten, kann der Eileiter aufgeschnitten und die Schwangerschaft entfernt werden. (konservative Tubenoperation). Der Eileiter wird mikrochirurgisch wieder zugenäht.

Ist die Eileiterschwangerschaft noch in einem sehr frühen Stadium, können Variante 1 und 2 auch unter Laparoskopie (durch den Nabel, siehe Seite 114) durchgeführt werden
Vorteil: Nur 1 Tag Spitalsaufenthalt, keine Operationsnarbe.

- Es gibt noch ein Verfahren, das aber auch nur bei sehr frühem Stadium der Eileiterschwangerschaft in Frage kommt (bis zur 8. Woche): Unter vaginaler Ultraschallsicht wird mit einer Nadel ein Verödungsmittel (Substanz: Methotrexat) in die Schwangerschaft eingespritzt. Diese Substanz hemmt das Plazentawachstum. (Wird auch als Zytostatikum in der Krebstherapie eingesetzt.)
  Die lokal injizierte Dosis ist sehr gering, daher kommt es nicht zu Nebenwirkungen.
  Vorteil: kein Krankenhausaufenthalt notwendig, keine Narkose, der Eingriff kann ambulant gemacht werden.

Folgen der Eileiterschwangerschaft:

Das Entfernen der Eileiter führt zur Sterilität. Bei Kinderwunsch ist dann eine In-vitro-Fertilisation notwendig.
Bei konservativer Operation (Belassen des Eileiters) ist das Risiko, nochmals eine Eileiterschwangerschaft zu erleiden, erhöht.

Eierstockschwangerschaft

Dies ist eine äußerst seltene Form der Extrauterinschwangerschaft. Hierbei wandert die Eizelle nach erfolgter Befruchtung nicht in die Gebärmutter, sondern siedelt sich in oder auf einem der beiden Eierstöcke an. Die Ursache ist zumeist eine entzündlich bedingte Verwachsung oder Verengung am trichterförmigen Eingang der Eileiter. Einseitige Schmerzen im Bauch sowie das Auftreten von Blutungen etwa 7 Wochen nach der letzten Regel können Anzeichen für eine Eierstock-

schwangerschaft sein. Ein Arzt bzw. eine Ärztin sollte umgehend aufgesucht werden.
Wie bei allen anderen Extrauterinschwangerschaften ist auch die Eierstockschwangerschaft eine ernste Bedrohung für das Leben der Frau.
Die Behandlung ist die gleiche wie bei einer Eileiterschwangerschaft.

Bauchhöhlenschwangerschaft

Es kann auch vorkommen, daß sich das befruchtete Ei in der Bauchhöhle, auf dem Bauchfell einnistet und weiterentwickelt. Meist stirbt aber die Frucht in den ersten Monaten ab. Dabei können lebensgefährliche Blutungen auftreten.
Wird eine Schwangerschaft in der Bauchhöhle nicht rechtzeitig erkannt und abgebrochen, so stellt sie eine akute Bedrohung für Gesundheit und Leben der Schwangeren dar.
Auch hier ist die Behandlung die gleiche wie bei der Eileiterschwangerschaft, es kann jedoch zusätzlich ein operativer Eingriff zur Entfernung der Plazenta vom Darm oder von großen Blutgefäßen notwendig sein.
Es gibt wissenschaftlich belegt einige ganz seltene Fälle, in denen eine Bauchhöhlenschwangerschaft ausgetragen wurde.

Schwangerschaftsunterbrechung

Neben den Fällen, in denen Frauen eine intakte Schwangerschaft abbrechen lassen, weil sie aus bestimmten Gründen unerwünscht ist (soziale Indikation), gibt es Situationen, in denen eine Schwangerschaftsunterbrechung angezeigt ist, um eine Gefahr für das Leben der werdenden Mutter abzuwenden (medizinische Indikation) oder aber die Geburt des Kindes zu vermeiden, das zum Beispiel aufgrund einer unheilbaren Erbkrankheit unter allerschwerster Schädigung seines Gesundheitszustandes zu leiden hätte (eugenische Indikation).
Während sich die Notwendigkeit einer medizinisch bedingten Schwangerschaftsunterbrechung aus dem Gesundheitszustand der betroffenen Frau ergibt, stellt eine Chromosomenuntersuchung die Basis für die Entscheidung infolge der eugenischen Indikation dar.
Chromosomenanomalien, d.h. Anomalien im Erbgut des Kindes können mit Hilfe der Amniozentese oder der Chorionbiopsie schon in der frühen Schwangerschaft festgestellt werden.

Amniozentese

Sind bei einer Schwangeren Risiken bekannt, wie erhöhtes Lebensalter der Mutter (über 35 Jahre) oder des Vaters (über 45 Jahre), Blutgruppenunverträglichkeiten, erbliche Belastungen, so kann man mit Hilfe der Amniozentese bereits in einem frühen Schwangerschaftsstadium Fehlentwicklungen des Kindes, wie z.B. Mongolismus, feststellen.
Mit Hilfe einer feinen Hohlnadel wird unter gleichzeitiger Kontrolle durch ein Ultraschallbild die Bauchdecke durchstoßen, um aus der Fruchtblase einige Milliliter Fruchtwasser zu entnehmen. Dieser Eingriff, der aus Sicherheitsgründen nur in Ausnahmefällen vor der 16. Schwangerschaftswoche durchgeführt wird, ist relativ schmerzlos und dauert normalerweise nicht länger als 5 Minuten.
Die im Fruchtwasser befindlichen, abgestoßenen Zellen des Ungeborenen werden im Labor mit Hilfe der Chromosomenanalyse begutachtet. Dabei lassen sich nicht nur mögliche Chro-

mosomenstörungen erkennen, sondern auch das Geschlecht des Kindes läßt sich feststellen.
In seltenen Fällen kann die Amniozentese zur Verletzung des Kindes und der Plazenta führen. Die Folge könnte eine Fehlgeburt sein.
Da die Amniozentese eine für Mutter und Kind manchmal lebenswichtige Untersuchung darstellt, überwiegt meist der Nutzen das vorhandene Risiko.

Chorionbiopsie

Neuerdings kann mit Hilfe der Chorionbiopsie schon in einem sehr frühen Stadium einer Schwangerschaft festgestellt werden, ob z.B. Stoffwechselerkrankungen oder auch Chromosomenanomalien beim Ungeborenen vorliegen.
Der Vorteil gegenüber der Amniozentese liegt darin, daß die Chorionbiopsie bereits zwischen der achten und elften Schwangerschaftswoche durchgeführt werden kann.
Der Eingriff erfolgt in der Regel ambulant. Eine feine Nadel wird durch die Scheide oder durch die Bauchdecke in die Gebärmutter eingeführt, mit der dann Gewebsteilchen von der Plazenta (Plazenta-Zottenhaut) entnommen werden.

Welche Methoden des Schwangerschaftsabbruchs werden wann angewendet?

Dauer der Schwangerschaft:

6. bis 12. Woche (gerechnet vom 1. Tag der letzten Regel)

Abtreibungsmethode:

- Absaugen (Saugkürettage, Vakuumaspiration).
  Nach örtlicher Betäubung (ist auch ohne Betäubung möglich) oder in Vollnarkose wird der Gebärmutterhalskanal langsam bis auf den Durchmesser von 8 bis 12 mm — je nach Schwangerschaftsdauer — geweitet, bis ein durchsichtiges Plastikröhrchen in die Gebärmutter geschoben werden kann. Am anderen Ende wird eine elektrische Vakuumpumpe angeschlossen. Durch den erzeugten Unterdruck wird das Schwangerschaftsgewebe abgesaugt. Zum Schluß wird nachkürettiert. Das heißt, es wird mit einem löffelartigen Instrument nachgetastet, ob die Gebärmutterhöhle ringsherum leer ist. Dieser Eingriff kann ambulant oder stationär durchgeführt werden.

- Ausschabung (Dilatation und Kürettage).
  Der Gebärmutterhalskanal wird wie bei der Absaugmethode geweitet. In der Regel ist für eine Ausschabung eine etwas stärkere Weitung notwendig. Um die Gebärmutterschleimhaut von der Uteruswand zu lösen, wird die Kürette, ein löffelähnliches Instrument mit einem Loch in der Mitte, verwendet. Strich für Strich wird die Kürette innen an der Gebärmutterwand entlanggeführt und Schleimhaut und Schwangerschaftsgewebe in eine Auffangschüssel entleert. Die Kürette muß also mehrmals von außen durch den Gebärmutterhalskanal in die Gebärmutter eingeführt werden. Das bedeutet jedesmal ein Risiko, die Gebärmutter zu perforieren oder auch Infektionen von außen hineinzutragen.

Dauer der Schwangerschaft:

12. bis 14. (15.) Woche

Abtreibungsmethode:

Eine stationäre Aufnahme ist notwendig. Zum Weiten und Weichmachen des Muttermunds kann einige Stunden vorher Prostaglandine aufgetragen werden. Dieser Eingriff wird in Vollnarkose durchgeführt und ist risikoreicher als die vorher erwähnten.

Dauer der Schwangerschaft:

Ab der 13. Schwangerschaftswoche (günstiger ab der 16.)

Abtreibungsmethode:

- Einspritzen einer Kochsalzlösung in die Fruchtblase. Dadurch wird eine Fehlgeburt eingeleitet. Der Muttermund kann vorher mit Quellstiften (Laminarstiften) erweitert werden. Anschließend kann noch eine Ausschabung gemacht werden.
- Einspritzen von Prostglandinen in die Fruchtblase oder in die Venen oder Einnahme in Tablettenform. Danach gleiches Vorgehen wie bei der oben genannten Methode. Nebenwirkungen der Prostglandine: Übelkeit, Erbrechen, Kreislaufbeschwerden.

Diese beiden Methoden werden stationär unter Vollnarkose durchgeführt.

Wichtig:

Egal für welche Abtreibungsmethode die Frau sich entschließt, zur Bedingung sollte sie machen, daß vor und nach der Abtreibung eine Ultraschalluntersuchung gemacht wird (vaginaler Ultraschall). Denn oft genug ist es schon vorgekommen, daß zum Beispiel eine Zwillingsschwangerschaft vorgelegen ist und nur ein Fötus abgesaugt wurde, oder daß auch zum Beispiel neben der Schwangerschaft in der Gebärmutter sich ein Ei auch im Eileiter (siehe Eileiterschwangerschaft) eingenistet hatte.

Der Schwangerschaftsabbruch ohne medizinische Indikation — eine Gewissensentscheidung der Frau

Hat sich eine Frau dazu entschieden, eine Abtreibung machen zu lassen, soll sie zunächst einmal Informationen einholen und die Risiken abwägen. In Frauenzentren (Adressen siehe Anhang) können Frauen sich beraten lassen und Unterstützung holen.
Ein Schwangerschaftsabbruch in den ersten 3 Monaten ist in Österreich straffrei. Das heißt: Frauen, die sich entscheiden, ihr Kind innerhalb der ersten 3 Monate abzutreiben, werden strafrechtlich nicht verfolgt.

In der BRD gibt es das sogenannte Indikationsmodell. Eine Abtreibung ist nur dann innerhalb der Frist (die ersten 12 Wochen) möglich, wenn eine Indikation vorliegt (medizinische Indikation: Gefahr für das Leben oder die Gesundheit der Schwangeren; eugenische oder kindliche Indikation: Gefahr einer körperlichen oder geistigen Schädigung des Kindes; ethische Indikation: Vergewaltigung; soziale oder Notlageindikation: Gefahr einer schwerwiegenden Notlage der Schwangeren).

Vor jedem erlaubten Eingriff muß sich die Schwangere einer medizinischen und sozialen Beratung durch einen Arzt oder eine anerkannte Beratungsstelle unterziehen. Dann stellt der Arzt oder die Ärztin der Beratungsstelle fest, ob eine Indikation vorliegt, d.h. ob eine Abtreibung gemacht werden darf.
Der Eingriff selbst darf dann nur von einem anderen Arzt, meist in einer Klinik, durchgeführt werden.

In der Schweiz ist vor jeder Abtreibung ein psychiatrisches Gutachten beizubringen.

Lexikon

Adnexe
Anhang der Gebärmutter = also Eileiter, Eierstöcke.

Abrasio
Kürettage.

Adnexitis
Entzündung der Eierstöcke und der Eileiter.

AIDS
Abkürzung für den englischen Begriff „aquired immune defiency syndrom" (erworbenes Immundefektsyndrom); bezeichnet den Mechanismus, der dieser Krankheit zugrundeliegt. Durch Ansteckung gelangt das AIDS-Virus in den Körper und führt dort nach Monaten oder Jahren zum Zusammenbruch der körpereigenen Abwehrkräfte, des sogenannten Immunsystems.

Algomenorrhoe
Gefäßkrämpfe im Bereich der Gebärmuttermuskulatur, die zu Kontraktionen führen können.
Sie treten meist beim Einsetzen der Periode auf.

Amenorrhoe
Darunter versteht man das Ausbleiben der Regelblutung.

Amniozentese
Fruchtwasserentnahme während einer Schwangerschaft, um festzustellen, ob eine Fehlentwicklung des Fötus (z.B. Mongolismus) vorliegt.

Ausfluß
Diese Flüssigkeitsabsonderung aus der Scheide (med.: Fluor) ist nicht immer ein Zeichen von Krankheit. Durch die Scheidenwand wird immer klare Flüssigkeit abgesondert. „Normaler" Ausfluß ist milchig weiß und geruchlos. Krankhafter Ausfluß ist gelb, grün, braun, blutfarben oder schaumig und hat meist einen unangenehmen Geruch. Außerdem tritt meist Jucken und Brennen sowie ein Wundsein der Scheide oder der Schamlippen auf.

Bartholinitis
Entzündung der Bartholinischen Drüsen an der Scheide.

Basaltemperatur
Morgendliche Körpertemperatur, die gleich nach dem Aufwachen gemessen wird. Sie kann zur Bestimmung der fruchtbaren und unfruchtbaren Tage herangezogen werden (Temperaturmethode).

Bauchspiegelung (Laparoskopie)
Die Bauchspiegelung ist ein Eingriff, der vorwiegend diagnostischen Zwecken dient und deshalb vor allem zur Abklärung unklarer Befunde durchgeführt wird. Durch einen kleinen Schnitt innerhalb des Nabels wird vorerst mit einer feinen Nadel das für den Körper gut verträgliche gasförmige Kohlendioxid (CO_2) in den Bauchraum gefüllt. Dadurch hebt sich die Bauchdecke und gibt den Blick auf die inneren Organe frei. Die Betrachtung des Bauchraumes und kleinere Eingriffe erfolgen dann mit Hilfe eines speziellen optischen Gerätes, das nach Herausziehen der Nadel (Verres Nadel) durch den Nabelschnitt vorgeschoben wird. Für diesen Eingriff ist eine Vollnarkose notwendig.

Blastozyste
Auf dem Weg vom befruchteten Ei zum Embryo bildet der ständig wachsende Zellverband nach seiner Wanderung durch den Eileiter in die Gebärmutter etwa zwischen dem dritten und sechsten Tag ein ballonartiges Gebilde, die sogenannte Blastozyste. Aus ihr entwickeln sich nach der Einnistung in die Gebärmutterschleimhaut zwei Teile, der Embryoblast, aus dem der Embryo heranreift, und der Trophoblast, der für die Ernährung des Embryos sorgt.

Chorionbiopsie
Neben der Amniozentese gehört die Chorionbiopsie zu den Diagnoseverfahren, mit deren Hilfe bereits in einem frühem Stadium der Schwangerschaft mögliche Stoffwechselerkrankungen des Kindes festgestellt sowie Chromosomenanalysen durchgeführt werden können.

Chromosomen
In jeder Zelle des menschlichen Organismus befinden sich 46 fadenähnliche Gebilde, an denen die Erbanlagen eines Menschen wie Perlen auf einer Schnur aufgereiht sind. Diese Chromosomen bestimmen Blutgruppe, Haut- und Augenfarbe, sind für bestimmte Charaktereigenschaften verantwortlich und sorgen nicht zuletzt dafür, daß die körperliche Entwicklung vom Tag der Zeugung bis zum Tod nach einem umfassenden Plan verläuft. Sie entscheiden aber auch über das Geschlecht des neu entstehenden Menschen.

Damm
Der Damm, auch Perineum genannt, bildet die durch die Muskulatur verstärkte Hautbrücke zwischen dem Genitalbereich und dem After.

Diaphragma
ist ein mechanisches Verhütungsmittel, besteht aus weichem Gummi in der Form einer flachen Tasse. Es hat einen biegsamen Rand aus einer Metallfeder.

Dysmenorrhoe
Regelschmerzen, Regelkrämpfe.

Dysplasie
Zellatypien des Muttermundes. Muß nicht gleich Krebs sein!

Ektopie
Das Wort Ektopie bedeutet, daß etwas von seinem angestammten Ort herausgewandert ist. Zum Beispiel das Oberflächengewebe im Muttermundkanal (Auskrempelung der Zervixschleimhaut).

Endometritis
Entzündung der Gebärmutterschleimhaut. Kommt relativ selten vor, da die Gebärmutterschleimhaut eine besondere Abwehrkraft gegenüber Bakterien hat.

Endometriose
Die Gebärmutterschleimhaut, die normalerweise nur die Gebärmutter auskleidet, siedelt sich z.B. auf einem Eierstock oder in der Uterus-Muskulatur an.

Endometrium
Gebärmutterschleimhaut.

Extrauteringravidität
Schwangerschaft außerhalb der Gebärmutter.

Follikel
Bereits bei der Geburt verfügt jedes Mädchen in seinen Eierstöcken über etwa 400.000 weibliche Keimzellen. Diese liegen eingebettet in kleinen Bläschenhüllen, auch Follikel genannt. Diese Hülle dient vor allem der Ernährung des Eis bis zur vollen Rei-

fe. Beim Eisprung (Follikelsprung) platzt die Hülle auf, und die Eizelle wandert durch den Eileiter in Richtung Gebärmutter.

Galaktographie
Die Galaktographie ist eine Sonderform der Mammographie, bei der die einzelnen Milchgänge mit Hilfe eines Kontrastmittels dargestellt werden. Diese Untersuchung ist dann zweckmäßig, wenn aus der Brustwarze ein Sekret austritt und eine mögliche Veränderung innerhalb eines Milchgangs abgeklärt werden soll.

Gebärmutter (Uterus)
Die Gebärmutter ist nicht starr im Becken verankert, sondern hängt an drei Bänderpaaren, den Mutterbändern. Normalerweise ist sie leicht nach vorne geneigt.

Gebärmutterknickung
Hat eine Frau ein schwaches Bindegewebe oder sind ihre Genitalorgane unterentwickelt, kann die Gebärmutter nach hinten abgeknickt sein. Früher glaubte man, daß die geknickte Gebärmutter unfruchtbar macht. Heute weiß man, daß das nur sehr selten der Fall ist. Die männlichen Samenzellen haben es zwar etwas schwerer, durch die geknickte Gebärmutter in die Eileiter zu kommen, aber die Frau kann trotzdem schwanger werden. In der Schwangerschaft richtet sich die geknickte Gebärmutter fast immer von allein wieder auf.

Gebärmuttersenkung
Eine Gebärmuttersenkung tritt häufig bei Frauen auf, die mehrere Schwangerschaften und Geburten in rascher Folge durchgemacht haben. Es kann aber auch Veranlagung sein. Frauen, die unter angeborener Bindegewebsschwäche leiden, sind erfahrungsgemäß häufig betroffen. Manche Frauen haben trotz erheblicher Senkung (Descencus) keinerlei Schmerzen. Die meisten aber klagen über einen Druck nach unten, über Störungen des Blasenverschlusses oder der Darmfunktion.

Gestagene
Die aus dem Cholesterin hervorgehenden weiblichen Geschlechtshormone (Gestagene) werden hauptsächlich im Gelbkörper des Eierstocks, im Mutterkuchen und in kleinen Mengen auch in der Nebennierenrinde produziert. Sie dienen vor allem dazu, die Gebärmutterschleimhaut vor dem Zustandekommen einer Schwangerschaft aufzulockern und auf die bevorstehende Einnistung vorzubereiten sowie anschließend die bestehende Schwangerschaft aufrechtzuerhalten und die Reifung weiterer Eizellen zu verhindern.

Herpes
ist eine Virusinfektion, die neben den äußeren Geschlechtsorganen auch die Scheide und die Portio betreffen kann.

Hypermenorrhoe
Sehr starke Regelblutungen.

Hypophyse
Hirnanhangdrüse.

Hysterektomie
Entfernung der Gebärmutter.

Intrauterinpessar (Spirale)
Eine Art der Empfängnisverhütung; die Spirale wird in die Gebärmutter eingesetzt.

Klimakterium
Wechseljahre.

Kohabitation
Geschlechtsverkehr.

Kolpitis
Scheidenentzündung.

Kolposkopie
Mit einem speziellen Gerät wird unter Lupenvergrößerung der Gebärmutterhals oder die Scheide beobachtet.

Konisation
Bei der Konisation wird ein kegelförmiges Gewebsstück rings um den Muttermund herausgetrennt und anschließend im Labor unter dem Mikroskop auf Zellveränderungen untersucht.

Konzeption
Empfängnis.

Kontrazeption
Empfängnisverhütung.

Kürettage (Abrasio)
Ausschabung der Gebärmutter mit einer Kürette. Gründe für eine Kürettage:

- Nach einer Fehlgeburt, oder falls nach einer Geburt Plazentareste in der Gebärmutterhöhle zurückgeblieben sind;
- Um die Ausbreitung einer Entzündung zu verhindern;
- Als Abtreibungsmethode;
- Zur Fahndung nach Polypen, Myomen und Gebärmutterkrebs;
- Um die Ursache von Blutungsstörungen, den Ausfluß aus der Gebärmutter oder Störungen der Fruchtbarkeit festzustellen.

Labien
Große und kleine Labien = Schamlippen.

Laparoskopie
Siehe Bauchspiegelung.

Mammographie
Röntgenuntersuchung der Brust. Bei modernen Geräten nur ganz geringe Strahlenbelastung (etwa wie im Hochgebirge).

Mastopathie
heißt wörtlich übersetzt „kranke Brust" und bezeichnet eine Veränderung der Brust in unterschiedlichen Schweregraden. Es kann zu einer Wucherung von Bindegewebe (fibröse Mastopathie) oder von Bindegewebe und Drüsengewebe (fibrozystische Mastopathie) kommen, die in der Brust zur Bildung von unterschiedlichen Knoten und Zysten führt.
Die Mastopathie kann nicht nur Beschwerden hervorrufen, sondern erhöht auch das Krebsrisiko.

Masturbation
Selbstbefriedigung.

Menarche
Die erste Regelblutung.

Mykose
Darunter versteht man eine Pilzerkrankung der Geschlechtsorgane. Kann auch durch sexuelle Kontakte übertragen werden.

Myome
Myome sind Muskelgeschwülste, die besonders häufig an der Gebärmutter auftreten. Sind gutartig. Die Knoten sind meist rund und haben sehr verschiedene Ausmaße, von der Größe einer Erbse bis zu Knopfgröße. Manche Frauen wissen gar nicht, daß sie Myome haben, weil ihnen die Knoten überhaupt keine Beschwerden machen. Dann müssen sie auch nicht behandelt werden.

Östrogene
werden in den Eierstöcken, in der Plazenta und in der Nebennierenrinde produziert. Man unterscheidet drei Arten von Östrogenen: Östron, Östriol, Östradiol. Sie bewirken im weiblichen Organismus die Ausbildung der sekundären weiblichen Geschlechtsmerkmale.

Oligomenorrhoe
Wenn der Abstand zwischen den ein-

zelnen Zyklen mehr als 36 Tage, aber weniger als 3 Monate dauert, spricht man von einer Oligomenorrhoe.

Ovarektomie
Operative Entfernung eines Eierstokkes.

Ovarialinsuffizienz
Unterfunktion der Eierstöcke.

Ovarialzyste
Mit Flüssigkeit gefüllte Geschwulst des Eierstockes.

Ovulation
Eisprung.

Pearl Index
Die Zuverlässigkeit einer empfängnisverhütenden Methode wird mit dem sogenannten Pearl Index angegeben. Man versteht darunter die Zahl der ungewollten Schwangerschaften auf 1200 Anwendungsmonate. Da eine Frau 12 Zyklen pro Jahr hat, entsprechen 1200 Monate 100 Frauenjahren.

Polypen
sind Wucherungen der Schleimhaut. Sie können sich in der Gebärmutterhöhle bilden und die Ursache für starke, anhaltende Blutungen sein.

Portio
Muttermund.

Portiokappe
Ein mechanisches Verhütungsmittel. Sieht ähnlich aus wie ein Diaphragma, besteht aus Gummi oder Plastik. Die Kappe ist so geformt, daß sie etwa den Konturen des Muttermundes entspricht.

Progesteron
Nach dem Eisprung verwandelt sich der Follikel, das Gewebe, in dem die Eizelle herangereift ist, zum sogenannten Gelbkörper um. Er wird während der Schwangerschaft zum wichtigen Hormonlieferanten. Sein Hauptthormon ist das Progesteron, dessen Produktion später während der Schwangerschaft von der Plazenta übernommen wird.

Prostaglandine
sind hormonähnliche Substanzen, die unter anderem das Zusammenziehen sowie das Erschlaffen der Muskulatur steuern. Sie regen immer wiederkehrende Krämpfe der Gebärmutter an, die wichtig für die Erneuerung der Gebärmutterschleimhaut sind.

Salpingitis
Eileiterentzündung.

Salpingographie
Röntgenuntersuchung des Eileiters nach Füllung mit einem Kontrastmittel.

Spasmolytika
Krampflösende Medikamente.

Spekulumuntersuchung
Mit einem trichterförmigen Instrument, dem Spekulum, weitet der Arzt behutsam die Scheide, damit er das Untersuchungsfeld besser sehen kann. Das Spekulum wird seitlich eingeführt und dann geradegestellt.

Sterilität
Unfruchtbarkeit, Keimfreiheit.

Syndrom
Krankheitsbild, zusammengehörige Krankheitszeichen.

Thermographie
Ein wärmeempfindlicher Detektor zeichnet auf einem Bildschirm ein „Wärmebild“ von der Brust. Der medizinische Wert dieser Untersuchung liegt in der verstärkten Wärmeabgabe stoffwechselaktiver Prozesse, wie sie Tumore und Entzündungen darstellen. Deshalb kann die Thermographie auch nicht zwischen Tumoren und Entzündungen unterscheiden.

Trichomonaden
Diese Geißeltierchen sind oft Ursachen für Scheidenentzündungen.

Ultraschall, vaginaler
Die Ultraschalluntersuchung (Sonographie) ist eine wichtige Diagnosemöglichkeit in der gynäkologischen Praxis.

Ultraschalluntersuchungen kennen die meisten Frauen, die bereits Kinder geboren haben. Damit kann das Ungeborene auf einem Bildschirm sichtbar gemacht werden und Lage des Kindes sowie Anomalien können von einem erfahrenen Diagnostiker festgestellt werden. Werden bei dieser Untersuchung die Ultraschallwellen durch die Bauchdecke geschickt, so werden sie bei vaginalen Ultraschall-Untersuchungen von einer Sonde, die durch die Scheide, also vaginal, eingeführt wird, ausgesendet. Treffen diese Schallwellen auf einen Widerstand — etwa einen Knoten —, so werden sie zurückgeworfen. Das Gerät zeichnet auf einem Bildschirm die Hin- und Rückwege der Wellen auf und überträgt sie in Form von hellen und dunklen Lichtpunkten.

Urethritis
Darunter versteht man eine Entzündung der Harnröhre. Wird vor allem durch von außen eindringende Erreger verursacht.

Vasektomie
Darunter versteht man die Durchtrennung der Samenleiter beim Mann. Männliche Empfängnisverhütung.

Zysten
Das aus dem Griechischen abgeleitete Wort heißt Blase. Zysten sind sackartige, durch eine Kapsel abgeschlossene Geschwülste mit einem dünn- oder dickflüssigen Inhalt. Sie wachsen nicht so sehr durch Wucherung der Zellen, sondern vergrößern sich meist durch Flüssigkeitsansammlung. Zysten können sich überall im Körper bilden.

Zytostatika
zytostatisch = zellhemmend.
Zytostatika sind Medikamente, die die Zellteilung hemmen.
Die Vermehrung von Körpergewebe, also das Wachstum von bösartigen Tumoren, erfolgt über Zellteilung. Durch Hemmung des Stoffwechsels von Tumorzellen kann eine Krebserkrankung aufgehalten, im günstigsten Fall sogar geheilt werden.

Adressen

Österreich

Frauenberatungsstellen, Frauengesundheitszentren, psychosoziale Einrichtungen für Frauen

Kärnten:
Frauenberatungsstelle Villach
c/o Petra Rainer,
9500 Villach, Kassinsteig 3 a
Tel: 04242/24 6 09

Lebensberatung des Caritasverbandes Kärnten
9020 Klagenfurt, Kolpinggasse 6
Tel: 04422/56 7 77

Niederösterreich:
Frauenservice Lilienfeld
Beratungsstelle für Frauenfragen
3180 Lilienfeld, Babenbergerstraße 38

Sozialhilfezentrum für werdende Mütter, gefährdete Frauen und ihre Kinder
2340 Mödling
Tel: 02236/86 5 49

Oberösterreich:
1. Linzer Selbsthilfegruppe nach Brustoperation
4020 Linz, Hafferlstraße 7

Verein „Bily“ (Beratung bei sexuellen Problemen)
4020 Linz, Weissenwolffstraße 17 a
Tel: 0732/27 04 97

Salzburg:
Familien- und Partnerberatung
5020 Salzburg, Schopperstr. 18
Tel: 0662/71 1 82

Sexualberatungsstelle
5020 Salzburg, Bürgerspitalgasse 2
Tel: 0662/84 98 42

Steiermark:
Verein Frauenberatung und Selbsthilfe
8010 Graz, Marienplatz 5/2
Tel: 0316/91 60 22

Tirol:
AEP-Familienberatung
6020 Innsbruck, Leopoldstraße 31 a
Tel: 05222/33 7 98

Aktionskomitee zur besseren gynäkologischen Versorgung der Frauen Tirols
c/o Eva Frischhut
6020 Innsbruck, Sternwartestraße 26 b

Familienberatung der Diözese Innsbruck
6020 Innsbruck,
Wilhelm-Greil-Straße 5
Tel: 05222/28 8 75, 28 1 49

Vorarlberg:
Institut für Sozialdienste Feldkirch — Beratungsstelle
6800 Feldkirch, Gymnasiumstraße 2
Tel: 05522/25 9 02

Wien:
Frauen beraten Frauen
1060 Wien, Lehargasse 9/2/2/17
Tel: 0222/587 67 50

Frauenselbsthilfe und Gesundheitszentrum im WUK
1090 Wien, Währinger Straße 59
Tel: 0222/48 44 43, 48 26 06

Rosa lila Tip für homosexuelle Frauen und Männer
1060 Wien, Linke Wienzeile 102
Tel: 0222/56 81 50

Ehe- und Familienberatung
1010 Wien, Neutorgasse 15
Tel: 0222/53 1 14/470, 63 89 96

Familien- und Partnerberatungsstelle der Wr. Kinderfreunde
1100 Wien, Puchsbaumgasse 30
Tel: 0222/628 32 45

Sexualberatungsstelle
1090 Wien, Lustkandlgasse 50
Tel: 0222/34 65 35/279

Verein zur Förderung von Jugend und Familie
1020 Wien, Paffrathgasse 4/10
Tel: 0222/218 18 28

AIDS

Österreichische AIDS-Hilfe:

Kärnten:
9020 Klagenfurt, Sponheimerstraße 5
Tel: 0463/55 1 28
Mo—Fr 17—19 Uhr
Mi 10—13 Uhr

Oberösterreich:
4020 Linz, Langgasse 12
Tel: 0732/21 70
Mo 15—18 Uhr
Mi 17—20 Uhr
Do 10—13 Uhr

Salzburg:
5020 Salzburg, St. Julienstraße 31
Tel: 0662/88 14 88
Mo—Do 17—19 Uhr
Mi, Fr 10—12 Uhr

Steiermark:
8010 Graz, Glacisstraße 69/III
Tel: 0316/79 7 69
Di, Do, Fr 17—19 Uhr
Mi + Sa 11—13 Uhr

Tirol:
6020 Innsbruck, Bozener Platz 1—3
Tel: 05222/56 36 21
Mo—Fr 15—17 Uhr
Mi 15—20 Uhr

Vorarlberg:
6900 Bregenz, Maurachgasse 24
Tel: 05574/26 5 26
Mo, Di, Do, Fr 16—20 Uhr
Mi, So 10—14 Uhr

Wien:
1080 Wien, Wickenburggasse 14
Tel: 0222/48 61 86 und 48 61 87
Mo, Mi, Do, Fr 16—20 Uhr
Mi, Sa 10—14 Uhr

Krebs

Österreichische Krebshilfe
1090 Wien, Spitalgasse 19
Tel: 0222/42 63 63
Krebsinformationsdienst
Tel: 0222/48 70 48
Mo—Fr 10—18 Uhr

Frauenselbsthilfe nach Krebs (brustoperiert)
5020 Salzburg, Scherzhauserfeldstraße 32
Tel: 0662/33 0 86

Frauenselbsthilfe nach Krebs
c/o E. Wagner-Dembicky
6020 Innsbruck,
Amraser Straße 120/25

Frauenselbsthilfe nach Krebs
c/o Martha Frühwirth
1190 Wien, Paradisgasse 62/4/8

Frauengruppen, Frauenzentren

Kärnten:
Frauenzentrum Bella Donna
9020 Klagenfurt, Villacher Ring 21/2
Tel: 04222/51 22 48

Frauenhaus Klagenfurt
Tel: 04222/44 9 66

Niederösterreich:
Haus der Frau
3100 St. Pölten, Klostergasse 15

Frauengruppe
c/o Irmgard Brandstätter
3370 Ybbs, Klosterhofstraße 14
Tel: 0741/23 51

Frauenhaus Mödling
Tel. 02236/86 5 49

Oberösterreich:
Frauenzentrum
4020 Linz, Hauptplatz 15/1
Tel: 0732/21 29

Frauenzentrum Oed
4020 Linz, Europastraße 12/1

Haus der Frau
4020 Linz, Volksgartenstraße 18

Frauenzentrum
4050 Traun, Traunstadtweg 3
Tel: 07229/61 7 60

Frauenhaus Linz
0732/23 15 15

Salzburg:
Frauenkulturzentrum/Frauencafé
5020 Salzburg, Haydnstraße 6
Tel: 0662/71 6 39

BDF Salzburg
5020 Salzburg, Elisabethstraße 11

Frauentreffpunkt
5020 Salzburg,
Paris-Lodron-Straße 33
Tel: 0662/75 4 98

Sektion Frauentreffpunkt
5400 Hallstein, Krautgasse 8

Frauenhaus Salzburg
Tel: 0662/84 22 71

Steiermark:
Initiative Gruppe für ein
Frauenzentrum
8010 Graz, Castellfeldgasse 34
Tel: 0316/70 57 79

Frauenhaus Graz
Tel: 0316/91 25 92

Tirol:
Autonomes Frauenzentrum
6020 Innsbruck, Michael-Gaismaier-Straße 8
Tel: 05222/31 56 45

Frauenzentrum Komm
6020 Innsbruck, Josef-Hirn-Straße 7

Frauengruppe
4910 Ried, Roßmarkt 13

Frauenhaus Innsbruck
Tel: 05222/42 1 12

Wien:
Frauenkommunikationszentrum im WUK
1090 Wien, Währinger Straße 59
Tel: 0222/48 50 57

Unifrauenzentrum
1090 Wien, Berggasse 5/24
Tel: 0222/314 85 44

Egalia, Verein für Fraueninitiativen
1010 Wien, Grünangergasse 2/17

Frauenhaus Wien:
Tel: 0222/31 56 56 und 48 38 80

Geobiologische Beratungsstellen

Österreichischer Verband für
Radiästhesie
1060 Wien, Lenaugasse 5/18

Österreichisches Institut
für Baubiologie
1030 Wien, Landstraßer
Hauptstr. 67/2
Tel: 0222/713 37 93

Zweigstelle Linz
4020 Linz, Hauptplatz 4-11
Tel: 0732/27 60 44

Bundesrepublik Deutschland

Frauenberatungsstellen, Frauengesundheitszentren, psychosoziale Einrichtungen

Bundesverband pro Familia:
6000 Frankfurt 1,
Cronstettenstraße 30
Tel: 069/55 09 01

Baden-Württemberg:
Landesverband pro Familia
7000 Stuttgart 1, Schloßstraße 60
Tel: 0711/ 61 75 43

Frauenzentrum
7000 Stuttgart, Kernerstraße 31
Tel: 0711/29 64 32

IFF-Informationen für Frauen
6900 Heidelberg, Blumenstraße 43
Tel: 06221/21 3 17

Psychosoziale Tumornachsorge Heidelberg
6900 Heidelberg,
INF 155, Ernst-Moro-Haus
Tel: 06221/56 30 89

Bayern:
Landesverband pro Familia
8000 München 40,
Türkenstraße 103/1
Tel: 089/ 39 90 79

Frauenselbsthilfe
im Frauengesundheitszentrum
8500 Nürnberg,
Wilhelm Marxstraße 58
Tel: 0911/37 26 48

Frauengesundheitszentrum und Selbsthilfezentrum
8000 München,
Gabelnsbergerstraße 66
Tel: 089/52 22 22

Berlin:
Landesverband pro Familia
1000 Berlin 30, Ansbacher Straße 11
Tel: 030/213 90 13

Feministisches Frauenzentrum
1000 Berlin 36, Liegnitzer Straße 5
Tel: 030/611 57 43

Bremen:
Landesverband und Beratungsstelle pro Familia
2800 Bremen 1, Stader Straße 35
Tel: 0421/49 10 90

Hamburg:
Landesverband pro Familia
2000 Hamburg 13, Tesdorfstraße 8
Tel: 040/44 19 53 22

Frauen Selbsthilfe Laden
2000 Hamburg 6, Marktstraße 27
Tel: 040/43 95 89

Hessen:
Landesverband pro Familia
6000 Frankfurt/Main 50,
Hügelstraße 70
Tel: 069/53 32 57

Frauengesundheitszentrum
6000 Frankfurt 90
Hamburger Allee 45
Tel: 0611/70 12 18

Niedersachsen:
Landesverband pro Familia
3000 Hannover 1, Am Hohen Ufer 3a
Tel: 0511/15 4 59

§ 218 Beratungsgruppe
3300 Braunschweig,
Magnikirchstraße 4
Tel: 0531/43 3 02

Frauenselbsthilfegruppe im Frauenzentrum Linden
3000 Hannover, Nieschlagstraße 26
Tel: 0511/47 18 81

Frauengesundheitsladen
im Frauenzentrum
3400 Göttingen,
Kurze Geismarstraße 24
Tel: 0551/57 5 97

Nordrhein-Westfalen:
Landesverband pro Familia
5600 Wuppertal 2, Loherstraße 7
Tel: 0202/898 21 22

Beratungsstellen:
5100 Aachen
Monheimsallee 11
Tel: 0241/36 357

4800 Bielefeld 1
Stapenhorststraße 5
Tel: 0521/12 40 73

4630 Bochum
Windmühlenstraße 25
Tel: 0234/12 3 20
Zillertalstraße 152
Tel: 0234/54 06 54

5300 Bonn 1
Prinz-Albert-Straße 39
Tel: 0228/21 22 30

4000 Düsseldorf 13 — Garath
Fritz-Erler-Straße 21
Tel: 0211/899-75 56

4000 Düsseldorf 30 —Derendorf
Blücherstraße 61
Tel: 0211/44 18 56

4100 Duisburg 1 — Neudorf
Klöcknerstraße 172
Tel: 0203/35 07 00

4100 Duisburg 11 — Hamborn
Viktoriastraße 8
Tel: 0203/55 53-51 71

5000 Köln 1
Hansaring 84—86
Tel: 0221/12 20 87

5000 Köln 71 — Chorweiler
Unstrutweg 27
Tel: 0221/70 35 11

Frauenzentrum Münster
4000 Münster, Sophienstr. 16
Tel: 0251/39 28 85

Rheinland-Pfalz, Saarland:
Landesverband pro Familia
6500 Mainz, Rheinallee 40
Tel: 06131/67 21 51

Beratungsgruppe im Frauenladen
6600 Saarbrücken, Cecilienstraße 29
Tel: 0681/39 85 93

Schleswig-Holstein:
Landesverband pro Familia
2390 Flensburg, Am Marienkirchhof 6
Tel: 0461/86 9 30

AIDS

Bundesverband:
Deutsche AIDS-Hilfe e.V.
1000 Berlin 31, Berliner Straße 37
Tel: 030/86 06 51 (keine Beratung)

Regionale AIDS-Hilfen:
5100 Aachen, Bachstraße 27
Tel: 0241/53 25 58
(Büro, Di 10—12 Uhr)
Tel: 0241/53 25 59 (Beratung, Mo + Mi 19—21 Uhr, Do 10—12 Uhr)

4730 Ahlen, Königstraße 9
Tel: 02382/46 50 (Di 9—12 Uhr + Mi 15—17 Uhr)

8900 Augsburg 11, Postfach 110125
Tel: 0821/15 38 05 (Mi 19—21 Uhr)

1000 Berlin, Meinekestraße 12
Tel: 030/882 55 53 (Beratung, täglich rund um die Uhr)

4800 Bielefeld 1, Stapenhorststraße 5
Tel: 0521/13 33 88 (Büro, Mo—Do 10—13 Uhr, Beratung: Mi 19—21 Uhr)

5300 Bonn 1, Rathausgasse 30
Tel: 0228/63 14 68 (Mo—Mi 14—17 Uhr, Do + Fr 19—21 Uhr)
Tel: 0228/63 14 69 (Büro)

3300 Braunschweig, Kurt-Schumacher-Straße 26, Postfach 1643
Tel: 0531/75 9 02
(Beratung Mo 18—20 Uhr, Di 16—18 Uhr, Fr 19—21 Uhr)

2800 Bremen 1,
Friedrich-Karl-Straße 20 A
Tel: 0421/44 49 47 (Mo—Fr 10—14 Uhr, Di 20—22 Uhr)

4600 Dortmund 1, Gerichtsstraße 5
Tel: 0231/55 11 87 (Mo, Di, Do, Fr 8.30—17 Uhr, Mi 10.30—19 Uhr)

4000 Düsseldorf 1, Kölner Straße 216
Tel: 0211/72 20 49 (Büro, Mo—Fr 11—15 Uhr + 20—22 Uhr)
Tel: 0211/72 20 48 (Beratung Mo—Fr 20—22 Uhr)

4100 Duisburg 1,
Musfeldstraße 163—166
Tel: 0203/66 66 33 (Mo + Do 20—22 Uhr)

4300 Essen 1, Varnhorststraße 17
Tel: 0201/23 60 96—97
(Beratung, 20—21 Uhr)

6000 Frankfurt 1,
Eschersheimer Landstraße 9
Tel: 069/59 00 12
(Büro, Mo—Fr 14—22 Uhr)
Tel: 069/597 55 77 (Beratung, tägl. 19—22 Uhr, außer Sa)

7800 Freiburg, Eschholzstraße 19, Postfach 1755
Tel: 0761/27 69 24
(Mi—Fr 19—21 Uhr)

3400 Göttingen, Postfach 11 14
Tel: 0551/43 7 35 (Mo—Do 10—12 Uhr, Do 19—21 Uhr, So 11—13 Uhr)

2000 Hamburg 13, Hallerstraße 72—Struensee Centrum—
Tel: 040/44 16 31
(Mo—Fr 10—22 Uhr)

2000 Hamburg 50,
Präsident-Krahn-Straße 8
Tel: 040/389 35 31
(Büro Mo—Fr 10—16 Uhr
Tel: 040/38 21 11
(Beratung Mo 15—17 Uhr,
Di + Mi 12—15 Uhr, Do 17—20 Uhr,
Fr 10—17 Uhr)

2000 Hamburg 1,
St. Georgs-Kirchhof 26
Tel: 040/24 04 02
(Büro, Mo—Do 10—13 Uhr,
Beratung, Mo 12—14 Uhr +
19—22 Uhr, Do 12—14 Uhr)

4700 Hamm 5,
Rosa-Luxemburg-Straße 41
Tel: 02381/68 0 41
(Mo + Mi 17—19 Uhr)

3000 Hannover 1, Johannssenstraße 8
Tel: 0511/32 77 72 (Büro, Mo, Mi—Fr 10—14 Uhr + 19—21 Uhr, Di 15—21 Uhr)
Tel: 0511/32 77 71
(Beratung Mo—Fr 19—21 Uhr)

6900 Heidelberg, Römerstraße 17 a
Tel: 06221/16 17 00 (Mi 19—21 Uhr)

4708 Kamen, Schäferstraße 38
Tel: 02307/73 1 71
(Mi 19—21.30 Uhr)

7500 Karlsruhe 1, Kronenstraße 2,
Postfach 12 66
Tel: 0721/69 13 14 (Büro, Mo 16—18 Uhr, Mi 14—16 Uhr + Fr 10—12 Uhr, Beratung, Do 20—22 Uhr)

3500 Kassel, Kohlenstraße 30
Tel: 0561/57 14 90 (Beratung, Mo + Mi 16—18 Uhr, Do 18—20 Uhr)

2300 Kiel 1, Saarbrückenstraße 177
Tel: 0431/68 72 49 und 67 77 99
(Beratung Fr 18—20 Uhr)

5000 Köln 1, Hohenzollernring 48
Tel: 0221/24 92 08
(Büro, Mo—Fr 10—17 Uhr)
Tel. 0221/24 92 09
(Beratung, Mo—Do 10—21 Uhr)

7750 Konstanz, Friedrichstraße 21
Tel: 07531/56 0 62 (Mi 20—22 Uhr)

4150 Krefeld, Marktstraße 230, Postfach 108
Tel: 02151/77 50 20 (Mo 12—14 Uhr, Mi 18—21.30 Uhr)

2400 Lübeck, Postfach 19 31
Tel: 0451/122 57 47 (Di 19—21 Uhr)

6500 Mainz 1, Hopfengarten 19, Postfach 11 73
Tel: 06131/22 22 75 (Büro, Di 17—19 Uhr, Do 10—12 Uhr)
Tel: 06131/22 10 20 (Beratung, Mi + So 19—22 Uhr)

6800 Mannheim 1, Jungbuschstraße 24, Postfach 161
Tel: 0621/28 6 00
(Beratung, Di, Do + Fr 20—22 Uhr)

8000 München 5, Müllerstraße 44 (Rückgebäude)
Tel: 089/26 43 61
(Büro, Mo—Fr 9.30—17 Uhr)
Tel: 089/26 90 40
(Beratung, Mo—Sa 19—22 Uhr)

4400 Münster, Bahnhofstraße 15
Tel: 0251/44 4 11 (Di—Fr 14—15 Uhr + 18—19 Uhr, Mo 20—22 Uhr)

8500 Nürnberg 1, Irrerstraße 2—6
Tel: 0911/20 90 06/07
(Di—Fr 10—16 Uhr, Do 19—21 Uhr, So 17—19 Uhr)

2900 Oldenburg, Hackenweg 33
Tel: 0441/30 41 51
(Mo + Mi 19—22 Uhr)

4500 Osnabrück, Kurt-Schumacher-Damm 8
Tel: 0541/47 0 25 (Mi 20—22 Uhr)

7530 Pforzheim, Schloßberg 10
Tel: 07231/10 13 13 (Büro, Mo 14—18 Uhr, Di + Mi 8.30—12.30 Uhr, Do 13—16 Uhr, Beratung, Mo 18—20 Uhr, Do 16—18 Uhr)

6600 Saarbrücken, Großherzog-Friedrich-Straße 3
Tel: 0681/31 1 12
(Büro, Mo—Fr 9—11 Uhr, Beratung, Mo—Fr 9—11 Uhr, Mo 20—22 Uhr)

7000 Stuttgart 1, Schwabstraße 44
Tel: 0711/61 08 48 (Beratung, Mo, Mi, Fr, So 18—22 Uhr)

5500 Trier, Paulinstraße 19, Postfach 20 22
Tel: 0651/12 7 00
(Büro, Di 10—12 Uhr, Do 14—17 Uhr)
Tel: 0651/12 7 77
(Beratung, Mi 19—21 Uhr)

7400 Tübingen, Postfach 1122
Tel: 07071/34 1 51 (Di 20—22 Uhr, Fr 18—20 Uhr)

6200 Wiesbaden, Kl. Schwalbacher Straße 14, Postfach 1141
Tel: 06121/30 92 11
(Mo, Mi + Fr 20 — 22 Uhr)

8700 Würzburg, Nigglweg 2
Tel: 0931/44 4 67 (Büro, Mi 14—16 Uhr, Beratung, Di + Do 19—21 Uhr)

Krebs

Frauenselbsthilfe nach Krebs, Bundesverband e.V.
B 6, 10/11
6800 Mannheim 1
Tel: 0621/24 4 34

Frauenselbsthilfe nach Krebs, Landesverband Niedersachsen e.V.
Elly Wiegand
3424 St. Andreasberg, Auf der Höhe 30
Tel: 05582/10 16

Frauenselbsthilfe nach Krebs, Landesverband Nordrhein-Westfalen e.V.
Alida Wagner
4240 Emmerich, Normannstraße 16
Tel: 02822/51 1 09

Frauenselbsthilfe nach Krebs, Landesverband Hessen e.V.
Margaret Oberbacher
6238 Hofheim, Rheingaustraße 21
Tel: 06192/81 31

Frauenselbsthilfe nach Krebs, Landesverband Rheinland-Pfalz e.V.
Hannelore Gardlo
6711 Beindersheim, Richard-Wagner-Straße 29
Tel: 06233/72 6 55

Frauenselbsthilfe nach Krebs, Landesverband Baden-Württemberg e.V.
Irmgard Schmidt
7277 Wildberg, Schönbronnerweg 41
Tel: 07054/21 21

Deutsche Krebshilfe
5300 Bonn 1, Thomas-Mann-Straße 40
Tel: 0228/72 99 00

Informations- und Beratungsdienst der Deutschen Krebshilfe
Tel: 0228/72 99 00

Krebsinformationsdienst = KID
Tel: 06221/41 01 21
(Mo—Fr 7—20 Uhr)

Frauengruppen, Frauenzentren

Baden-Württemberg:

Frauenzentrum
7800 Freiburg, Postfach 56 64, Schwarzwaldstraße 107
Tel: 0761/33 3 39

Frauentreff e.V.
7500 Karlsruhe, Körnerstraße 40

Frauengruppe
7640 Kehl, Im Hintereck 4
Tel: 07853/730

Frauenzentrum
5500 Trier, Saarstr. 38
Tel: 0651/40 1 19

Bayern:

Frauenzentrum c/o Amarila Plöhn
8300 Landshut, Jägerstraße 1
8301 Brückberg
Tel: 08765/580

Frauenzentrum
8000 München, Güllstraße 3
Tel: 089/725 42 71

Frauenforum c/o KOFRA
8000 München, Baldestraße 8
Tel: 089/201 04 50

G.I.F.T., Giesinger Frauentreff
8000 München, St. Martinstraße 1
Tel: 089/69 52 89

Frauenkulturhaus
8000 München,
Richard-Strauss-Straße 21, 8 M 80,
Tel: 089/470 52 12

Frauenzentrum
8500 Nürnberg, Saldorfer Straße 6
Tel: 0911/26 33 09

Berlin:

Frauenzentrum
1000 Berlin, Stresemannstraße 40, Berlin 61

Frauenstadtteilzentrum Kreuzberg (Schokofabrik)
1000 Berlin, Naunynstraße 72
Tel: 030/65 29 99

Frauenzimmer e.V., c/o Kotti Verein
1000 Berlin, Dresdner-Straße 17
Tel: 030/65 79 91/2

Bremen:

Frauenzentrum im Frauenkulturhaus
2800 Bremen, Im Krummen Arm 1
Tel: 0421/70 16 32

Belladonna, Kultur-, Kommunikations- und Bildungszentrum für Frauen e.V.
2800 Bremen, Sonnenstraße 8
Tel: 0421/70 35 34

Hamburg:
KALA, Zentrum für Frauenbewegung und Kultur International
2000 Hamburg, Amgartstraße 14
Tel: 040/22 31 67

Frauentreff Wilhelmsburg
2000 Hamburg, Karl-Arnold-Ring 51
Tel: 040/750 97 91

Hessen:
Frauentreff
6430 Bad Hersfeld,
Am Neumarkt 17 — 19
Tel: 06621/70 1 13

Frauenzentrum
6100 Darmstadt,
Pallaswiesenstraße 57a
Tel: 06151/29 32 06

Frauenzentrum
6300 Gießen, Alicenstraße 18 (Hinterhaus)

Frauenzentrum
3500 Kassel, Goethestraße 44
Tel: c/o Notruf 0561/77 22 44

Frauen informieren Frauen
3500 Kassel, Westring 67
Tel: 0561/89 31 36

Frauenforum e.V.
3500 Kassel, Annastraße 9
Tel: 0561/77 05 87

Niedersachsen:
Frauengruppe Gisela Fessler
2190 Cuxhafen/Nordholz,
Amselweg 7

Frauenkultur- und Kommunikationszentrum
3300 Braunschweig,
Magnikirchstraße 4
Tel: 0531/43 3 02

Frauengruppe gegen Gen- und Reproduktionstechnik c/o Guten Morgen Buchladen
3300 Braunschweig, Geysastraße 9
Tel: 0531/34 00 76

Frauenzentrum
2940 Wilhelmshaven,
Börsenstraße 122

Nordrhein-Westfalen:
„Schwarze Witwe", Frauenkultur- und Kommunikationszentrum
5100 Aachen, Maxstraße 4
Tel: 0241/50 59 22

Frauenkulturzentrum
4800 Bielefeld, Düppelstraße 19
Tel: 0521/68 6 67

Kölner Frauenforum
c/o Monika Wulff
5000 Köln,
Kalk-Mühlheimer-Straße 304

Frauenkulturzentrum
5000 Köln, Moltkestraße 66
Tel: 0221/52 31 20

Urania, Frauenbildungs- und Freizeitstätte
5600 Wuppertal 1, Stiftstraße 12/14
Tel: 0202/44 99 68

Rheinland-Pfalz, Saarland:
Frauenzentrum
6500 Mainz, Goethestraße 38
Tel: 06131/61 36 76

Schleswig-Holstein:
Frauenzentrum
2300 Kiel, Gneisenstraße 18
Tel: 0431/80 23 61

Frauenzentrum
2400 Lübeck, Schützenstraße 61

Frauenzentrum Schleswig
2380 Schleswig, Lange Straße 36
Tel. 04621/25 5 44

Geobiologische Beratungsstellen:

Deutsche Gesellschaft für Geobiologie
8411 Eilsbrunn, Sandweg 3

Forschungskreis für Geobiologie,
Dr. Ernst Hrtmann
6939 Eberbach a.N.,
Adolf Knechtstraße 25

Institut für Baubiologie
8201 Neubeuern, Holzham 25

Schweiz

Frauenberatungsstellen, Frauenzentren

Aarau:
Frauengruppe Aarau, Lies Haller
5000 Aarau, Laurenzvorstadt 29
Tel: 064/24 60 93

Baden:
OFRA Baden
5401 Baden, Postfach 1036
Tel: 056/28 26 77

Frauenzentrum Baden
5400 Baden, Stadtturmstrasse 8

INFRA, Postfach 261
Tel: 056/22 30 50

Basel:
OFRA Schweiz (Organisation für die Sache der Frauen), Zentralsekretariat
4058 Basel, Lindenbergstrasse 23
Tel: 061/32 11 56,

Frauenzentrum
4057 Basel, Klingentalgraben 2

Bern:
OFRA Frauenzentrum Bern,
Verein „Frouweloube“
3011 Bern, Langmauerweg 1
Tel: 031/22 07 73

INFRA,
Informationsstelle für Frauen
Tel: 031/22 17 95

Frauengesundheitszentrum Bern
3005 Bern, Sulgeneckstrasse 60
Tel: 031/45 21 81

Biel:
Frauenkontakte, c/o Ruth Schalroth
2511 Alfermée, Gaichstrasse
Tel: 032/22 64 29

OFRA Biel/Bienne,
c/o Centre de solidarité
2502 Biel, Rue Haute 4
Tel: 032/22 95 47

Chur:
Frauengruppe Chur,
Café Angelika Kaufmann
7000 Chur, Reichsgasse

Glarus:
INFRA
8750 Glarus, Sandstrasse 16
Tel: 058/61 54 23

Grenchen:
Frauenkontakte,
c/o Marianne Gugger
2540 Grenchen, Gibelstrasse 17
Tel: 065/91 9 35

Luzern:
OFRA Luzern
6000 Luzern, Löwenstrasse 9
Tel: 041/51 15 40

Olten:
OFRA Olten
4600 Olten, Tannwaldstrasse 50
Tel: 062/26 26 45

Schaffhausen:
OFRA
8201 Schaffhausen, Postfach 509
Tel: 053/55 0 14

INFRA
8200 Schaffhausen, Neustadt 45
Tel: 053/48 0 64

Solothurn:
OFRA Solothurn
4500 Solothurn, Postfach 752

St. Gallen
INFRA
9000 St. Gallen, Löwengasse 3
Tel: 071/22 44 60
Kontakte zur Fraueninformation,
c/o Susi Rüttimann
9000 St.Gallen, Spisergasse 16

Winterthur:
Ofra-Initiative-Gruppe
8401 Winterthur, Postfach 630

Frauenzentrum
8400 Winterthur,
Rosenstrasse 9/2. Stock

Zollikofen:
SVSS (Schweiz. Vereinigung f. Straflosigkeit des Schwangerschaftsabbruchs), c/o Annemarie Rey
3052 Zollikofen, Grabenstrasse 21

Zürich:
OFRA
8000 Zürich, Postfach 611

BOA Fraueninfostelle, Quartierzentrum Kanzlei
8004 Zürich, Kanzleistrasse 56
Tel: 01/242 98 44

INFRA
8005 Zürich, Mattengasse 27
Tel: 01/44 88 44

Frauengruppe Sphinx,
c/o Begegnungszentrum HAZ
8005 Zürich, Sihlquai 67

Frauenzentrum
8005 Zürich, Mattengasse 27
Tel: 01/44 85 03

Frauen Ambi
8005 Zürich, Mattengasse 27
Tel: 01/44 77 50

Zug:
OFRA Zug, c/o Judith Wissmann
6300 Zug 2, Postfach 2198
Tel: 042/21 15 89

AIDS

AIDS Hilfe Schweiz:
8002 Zürich, Gerechtigkeitsgasse 14,
Postfach 76 60
Tel: 01/201 70 33

Regionale Beratungsstellen der AIDS-Hilfe Schweiz:
4001 Basel, Postfach 1519
Büro: Elsässerstrasse 18
Tel: 031/25 52 51

6002 Luzern, Postfach 2004
Tel: 041/51 68 48

9004 St. Gallen, Postfach 2
Tel: 071/38 38 68

8501 Frauenfeld, Postfach 355
Tel: 054/21 55 87

8042 Zürich, Postfach 415
Tel: 01/44 50 20

Geobiologische Beratungsstellen:

Verlag RGS
9001 St. Gallen, Postfach 944

Diese Adressenliste erhebt keinen Anspruch auf Vollständigkeit.
Alle Angaben ohne Gewähr.

Literaturverzeichnis

Anders, Moss: Biologische Krebsbehandlung, Trias, Stuttgart 1987

Angerer, Hartmann, König, Purner, Schmitz-Petri, Ott: Mensch, Wünschelrute, Krankheit, Umweltstrahlungen — wie sie auf uns wirken, M & T Edition Astroterra, Zürich 1985

Bäker: Brustkrebs, vorbeugen, erkennen, handeln, Econ, Düsseldorf 1986

Beyersdorff, D.: Biologische Wege zur Krebsabwehr. Mittel und Möglichkeiten zur Vorbeugung und Verbesserung der Heilungschancen, Heidelberg 1984

Boadella, David: Wilhelm Reich, Leben und Werk des Mannes, der in der Sexualität das Problem der modernen Gesellschaft erkannte und der der Psychologie neue Wege wies, Fischer Tb, Frankfurt am Main 1985

Boyesen, Gerda: Über den Körper die Seele heilen, Biodynamische Psychologie und Psychotherapie, Eine Einführung, Kösel, München 1988

Boyesen, Gerda und Mona: Biodynamik des Lebens. Die Gerda Boyesen Methode — Grundlage der biodynamischen Psychologie, S. Gerken, Essen 1987

Döring, Gerd K., Empfängnisverhütung, ein Leitfaden für Ärzte und Studenten, 10., überarbeitete Auflage, Thieme Verlag, Stuttgart 1986

Garfield-Barbach, Lonnie: For yourself — Die Erfüllung weiblicher Sexualität, Ullstein, Berlin 1977

Hartmann Dr. med.: Krankheit als Standort-Problem, Haug-Verlag, Heidelberg

Hite, Shere: Hite-Report, das sexuelle Erleben der Frau, Goldmann, München, Neuauflage 1987

Hite, Shere: Weibliche Sexualität. Von Frauen für Frauen, Goldmann, München 1982

Ho-Fang: Schön und fit durch Akupressur, Moewig, Rastatt 1988

Kemeter, P.: Psychosomatik in der Gynäkologie und Geburtshilfe, Verlag Brüder Hollinek, Wien 1984

Kurtz, Ron: Körperzentrierte Psychotherapie, Die Hakomi-Methode. S. Gerken, Essen 1985

Lowen, Alexander: Bio-Energetik, Therapie der Seele durch Arbeit mit dem Körper. Rowohlt Tb, Reinbek: Neuausgabe 1988

Lowen, Alexander und Leslie: Bioenergetik für jeden, Das vollständige Übungshandbuch, P. Kirchheim, München 1988

Lowen, Alexander: Körperausdruck und Persönlichkeit, Grundlagen und Praxis der Bioenergetik, Kösel, München 1988

Lukoschik, Bauer: Die richtige Körpertherapie, Ein Wegweiser durch westliche und östliche Methoden, Kösel, München 1989

Mayer, Winklbaur: Biostrahlen, Orac, Wien 1983
Mayer, Winklbaur: Wünschelrutenpraxis, Orac, Wien 1985
Minker, Scholz: Brigitte Naturheilweisen, vorbeugen, helfen, heilen, München, Mosaik 1985
Nissim, R.: Naturheilkunde in der Gynäkologie, Orlanda Frauenverlag, 1987
Prill, Lange: Der psychosomatische Weg zur gynäkologischen Praxis, Vorträge Mainzer Seminartagung 1983, Schattauer, Stuttgart 1983
Pschyrembel: Praktische Gynäkologie, W. Gruyter & Co, Berlin 1968
Reich, Wilhelm: Charakter-Analyse, Kiepenheuer und Witsch, Köln 1970
Reich, Wilhelm: Die Funktion des Orgasmus, Die Entdeckung des Orgons, Kiepenheuer und Witsch, Köln 1987
Reuße, Holler: Menstruation, eine Begegnung mit dir selbst, rororo, Reinbek 1988
Rühmann, F.: Aids — eine Krankheit und ihre Folgen, Frankfurt 1985
Sivananda Yoga Zentrum: Yoga für alle Lebensstufen, Gräfe und Unzer, München 1983
Sharamon, Baginski: Kosmobiologische Geburtenkontrolle, Windpferd-Reihe, Schangrila, Durach 1988
Springer-Kremser, Eder, Kemeter: Forschungsbericht über psychohygienische Maßnahmen bei Menstruationsbeschwerden, Wien 1983
Stifter K.: Die dritte Dimension der Lust, Ullstein, Berlin 1988
Stumm G.: Handbuch für Psychotherapie und psychologische Beratung, Falter-Verlag, Wien 1988
Unser Körper, unser Leben, ein Handbuch von Frauen für Frauen, rororo, Reinbek 1980
Weis, Benz: Auf den Körper hören, die Hakomi-Psychotherapie, Eine praktische Einführung, Kösel, München 1987
Wetter, Boden, Mensch — Schriftenreihe des Forschungskreises für Geobiologie, München.
Winston, Robert: Wenn kein Baby kommen will, Orac, Wien 1987

Stichwortverzeichnis